Cahier du jour
Cahier du soir

10-11 ans

Français

Auteur : **Robert Camille**, *Professeur des écoles*

Directeur de collection : **Bernard Séménadisse**, *Maître formateur*

Ce cahier appartient à :

MAGNARD

Avant-propos

• Ce cahier est conforme aux nouveaux programmes.

• Le **cycle 3** (cycle de consolidation) relie désormais les deux dernières années de l'école primaire et la première année du collège, dans un souci renforcé de continuité pédagogique et de cohérence des apprentissages.

Ce cycle a une double responsabilité : **consolider les apprentissages fondamentaux** qui ont été engagés au cycle 2 et **permettre une meilleure transition entre l'école primaire et le collège.**

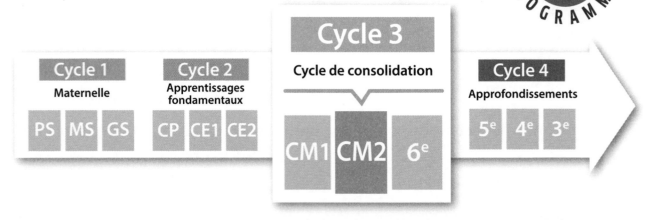

Plus d'informations sur les nouveaux programmes sur **www.joursoir.fr**

Ce cahier de Français destiné aux élèves du CM2 reprend toutes les notions du programme et couvre tous les domaines : grammaire, conjugaison, orthographe (grammaticale et d'usage) et vocabulaire.

• **La rubrique « Je découvre et je retiens » propose :**
– des phrases-exemples qui servent de matériau à la réflexion (« Je découvre ») ;
– une ou plusieurs règles qui permettent de mémoriser ce qu'il faut savoir (« Je retiens »).

• **La rubrique « Je m'entraîne » permet de réinvestir les acquisitions.**
À chacune des notions développées dans la leçon correspond un exercice d'application : à la notion 1 correspond l'exercice 1, à la notion 2 l'exercice 2. Si un exercice porte le numéro 3, cela signifie qu'il porte sur toutes les notions (exercice de synthèse).

• **À la fin de chaque page, l'enfant est invité à s'auto-évaluer.**

• **Les corrigés détachables sont situés au centre du cahier.**

Sommaire

Corrigés détachables au centre du cahier

1 Le sujet de la phrase

Je découvre et je retiens

1 Pasteur découvre le vaccin contre la rage. *Qui est-ce qui* découvre le vaccin ? *Pasteur*. **Pasteur** *est le sujet de la phrase. Dans une phrase, le sujet indique de quoi l'on parle.*

► Pour trouver le sujet de la phrase, on pose la question **qui est-ce qui** ou **qu'est-ce qui** avant le verbe.

2 Ses recherches ont sauvé beaucoup de gens. *Ce sont ses recherches qui ont sauvé beaucoup de gens.* **Ses recherches** *est le sujet de la phrase.*

► On peut aussi encadrer le sujet par **c'est... qui** ou **ce sont... qui**.

Je m'entraîne

1 **Pose oralement la question** *qui est-ce qui* **ou** *qu'est-ce qui*, **puis souligne les sujets.**

1. Le chapiteau du cirque est installé depuis trois jours.

2. Le dompteur présente cinq lions et cinq lionnes au cours de son numéro.

3. Les spectateurs ont beaucoup applaudi.

4. En novembre, tombent les premières feuilles jaunies.

5. Dans la nuit, ont éclaté les premiers orages.

6. Au bord de la rivière, s'abreuvent quatre biches.

7. Après la pluie, sortent les premiers escargots.

2 **Récris les phrases en utilisant** *c'est... qui* **ou** *ce sont... qui*.

1. Jacques Cartier a découvert le Canada. → _____

2. Graham Bell a inventé le téléphone. → _____

3. Pierre et Marie Curie ont découvert le radium. → _____

_____

4. Laurel et Hardy sont deux stars du cinéma noir et blanc. → _____

_____

3 **Dans le texte, souligne le sujet de chaque phrase.**

Hugo est dresseur dans un cirque ; il possède douze éléphants. Tous les matins, son épouse et lui s'occupent d'eux. Chaque soir, les spectateurs applaudissent le numéro spectaculaire qu'ils réalisent. Les enfants apprécient particulièrement les éléphanteaux.

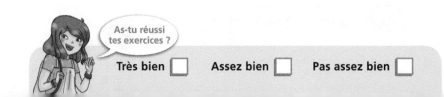

As-tu réussi tes exercices ?

Très bien ☐   Assez bien ☐   Pas assez bien ☐

2 L'identification du verbe de la phrase

Je découvre et je retiens

1 Tous les matins, au petit déjeuner, John **mange** une omelette. Il lui arrive aussi de **manger** une tranche de jambon.

▶ Pour savoir si un mot est un **verbe**, on vérifie qu'il possède un **infinitif** (*manger*) : c'est sous cette forme non conjuguée que l'on trouve le verbe dans le dictionnaire.

2 Ses frères aim**ent** les saucisses grillées. En vacances en France, ils aim**eront** les croissants.

▶ On cherche aussi s'il varie selon la **personne** (*je* → -e ; *ils* → -ent…) ou le **temps** (présent → -ent ; futur → -eront…).

Je m'entraîne

1a Écris l'infinitif des verbes conjugués.

1. nous prendrons _____
2. vous partiez _____
3. ils mangèrent _____
4. il faisait _____
5. je veux _____
6. tu as eu _____
7. elle avait été _____
8. on finira _____

1b Dans ce texte, souligne les verbes conjugués et entoure les verbes à l'infinitif.

Adrien tarde à aller chez le dentiste. Une carie le fait souffrir depuis deux jours. Plusieurs personnes sont déjà dans la salle d'attente. Adrien n'avait pas de rendez-vous. Malgré tout, le dentiste accepte de le soigner.

2a Entoure dans chaque verbe la terminaison (la partie qui change).

J'attrape un hérisson. Je le garde en liberté dans mon jardin. Il fait la chasse aux insectes et mange des feuilles de salade. Je l'apprivoise un peu. Il se met en boule. Je le libère dans la campagne.

2b Récris le petit texte ci-dessus, en remplaçant *je* par *nous* et *il* par *ils*.

Nous attrapons des hérissons. _____
_____
_____
_____
_____

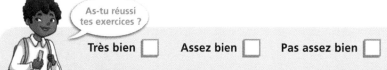

As-tu réussi tes exercices ?

Très bien ☐   Assez bien ☐   Pas assez bien ☐

3 Le prédicat de la phrase

▸ *Ancienne terminologie : verbe + compléments essentiels (COD et COI)*

Je découvre et je retiens

① La fusée **quitte la terre**. *Que fait* la fusée ? Elle **quitte la terre**.
→ **quitte la terre** *est le prédicat de la phrase.*

▶ Dans une phrase, le prédicat indique ce que fait le sujet.

② La fusée quitte **la terre**. → **la terre** *est un complément du verbe* quitter.
La fusée quitte ~~la terre~~. → *Le complément* **la terre** *ne peut pas être supprimé. Il est essentiel au sens de la phrase. C'est un complément du verbe.*

▶ Le prédicat comporte un **verbe conjugué** et un **complément du verbe**.

③ **La terre** la fusée quitte. → *Le complément* **la terre** *ne peut pas être déplacé.*

▶ Le complément du verbe **ne peut pas être déplacé**.

Je m'entraîne

① **Dans chaque phrase, souligne le prédicat.**

1. Les cosmonautes quittent leur vaisseau spatial.

2. L'astronaute pense à son futur voyage.

3. Le commandant dirige l'alunissage.

4. La navette spatiale a réussi son atterrissage.

5. De l'espace, la Terre ressemble à une boule bleue.

6. La station spatiale internationale pèse quatre-cents tonnes.

7. À son retour, il parlera de son aventure spatiale.

② **Complète le tableau comme dans l'exemple, uniquement quand le groupe de mots en couleur ne peut pas être supprimé.**

Idriss rate son bus.	*« son bus » est le complément du verbe « rater ».*
1. La locomotive entraîne les wagons.	
2. Tous les matins, ma mère prend le train.	
3. Le chauffeur de car prend du gazole.	
4. Cette année, il change de vélo.	

③ **Entoure les compléments que l'on ne peut pas déplacer.**

1. Tous les mercredis, Lucas joue au football.

2. Le dimanche, mon équipe de foot rencontre une équipe voisine.

3. Aujourd'hui, la maîtresse a fait un ballon prisonnier avec nous.

As-tu réussi tes exercices ?

Très bien ☐   Assez bien ☐   Pas assez bien ☐

4 Le complément de phrase

▶ *Ancienne terminologie : complément circonstanciel*

Je découvre et je retiens

1 J'ai reçu un ordinateur <u>à Noël</u>. → J'ai reçu un ordinateur.

▶ Un complément de phrase **peut être supprimé**.

2 <u>À Noël</u>, j'ai reçu un ordinateur.

▶ Un complément de phrase **peut être déplacé**.

Je m'entraîne

1a **Souligne les compléments supprimables.**

1. Obélix transporte un menhir dans le village gaulois.

2. Astérix avale la potion magique avant chaque bataille.

3. Dans la forêt, les druides ramassent le gui sur les arbres.

4. Les Romains encerclent le petit village gaulois depuis un mois.

5. Cléopâtre a invité Astérix et Obélix en Égypte.

6. Après chaque victoire, les guerriers gaulois font un grand festin sur la place du village.

1b **Récris chaque phrase en supprimant les compléments de phrase.**

1. En automne, en forêt, nous cherchons des champignons.

→ _____

2. Nous allons nous promener chaque dimanche dans les bois.

→ _____

2 **Déplace les compléments de phrase. N'oublie pas les majuscules.**

1. Cette nuit, le tonnerre a grondé. → _____

2. Le vent a brisé notre sapin dans la nuit. → _____

_____

3. Trop souvent, les nuages cachent le soleil, l'hiver. → _____

_____

3 **Complète les phrases avec un complément de phrase.**

1. Grand-mère invite ses voisins _____.

2. Toute la famille regarde le journal télévisé _____.

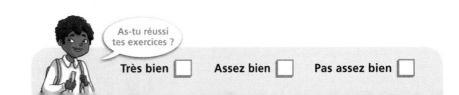

As-tu réussi tes exercices ?

Très bien ☐   Assez bien ☐   Pas assez bien ☐

5 L'identification du nom

Je découvre et je retiens

1 **Jade** éprouve beaucoup de **plaisir** à jouer à la **poupée** avec ses **camarades**.

▶ Pour savoir si un mot est un **nom**, on cherche s'il désigne des **êtres** (*Jade, camarades*), des **objets** (*poupée*), des **idées** ou des **sentiments** (*plaisir*).

2 Son **voisin** et sa **voisine** lui prêtent leurs **jouets** : des **dînettes** par exemple.
      masc. sing.   fém. sing.   masc. plur.   fém. plur.

▶ On vérifie aussi son **genre** (masculin, féminin) et son **nombre** (singulier, pluriel) selon le **déterminant** qui le précède (*la, son, sa, ses, les, leur, des…*).

Je m'entraîne

1 **Entoure les neuf noms de ce texte.**

Lucas et sa sœur marchent dans les bois. Soudain, ils aperçoivent plusieurs sangliers qui cassent les branches basses sur leur passage. Les animaux passent tranquillement à côté des deux promeneurs. Quelle peur !

2a **Écris le groupe de mots souligné en changeant le genre.**

1. Mon frère a toujours souhaité adopter <u>un chien</u>. → _____

2. <u>Ma sœur</u> a toujours aimé les animaux. → _____

3. Je suis <u>l'ami</u> des bêtes. → _____

2b **Écris le groupe de mots souligné en changeant le nombre.**

1. En vacances, j'emporte toujours <u>un livre</u>. → _____

2. À la plage, je préfère jouer avec <u>mes amies</u>. → _____

3. Pour ma fête, il m'a offert <u>une rose</u>. → _____

3 **Souligne les noms de ce texte. Indique sous chacun d'eux le genre (m ; f) et le nombre (s ; p).**

Du haut de la dune, l'océan paraît immense. À l'horizon, des voiliers semblent immobiles.

_____

Dans le ciel, les mouettes planent en criant, tandis que des baigneuses s'éclaboussent.

_____

Des promeneurs ramassent des coquillages sur la plage.

_____

As-tu réussi tes exercices ?

Très bien ☐   Assez bien ☐   Pas assez bien ☐

6 Les déterminants (1)

Je découvre et je retiens

1 **Un** individu frappe à notre porte. **L'**homme nous salue en souriant.

▶ Certains déterminants (*un*, *une*, *des*) désignent un nom d'une manière **imprécise**, vague.

▶ D'autres (*le*, *la*, *les*, *l'*) désignent **avec précision** le nom dont on parle.
Le et *la* se transforment en *l'* devant un nom commençant par une voyelle ou un *h* muet.

2 Il désire parler **au** propriétaire [**à le** propriétaire].

▶ *Au* est un déterminant qui en remplace deux autres (*à* + *le*).

Je m'entraîne

1a **Écris au pluriel les groupes nominaux soulignés.**

1. Le chat chasse <u>une souris</u>. _____

2. Le chat chasse <u>le rongeur</u>. _____

3. Le chien ronge <u>un os</u>. _____

4. Le chien enterre <u>l'os</u>. _____

1b **Complète le texte avec les déterminants qui conviennent.**

Cette nuit, j'ai vu (**1.**) _____ hibou. (**2.**) _____ rapace tenait (**3.**) _____ lapin dans ses serres. (**4.**) _____ pauvre bête allait lui servir de dîner. (**5.**) _____ oiseau s'envola à mon approche.

1c **Complète le dialogue avec les déterminants qui conviennent.**

« Achète (**1.**) _____ fleurs pour mettre dans le vase du salon.

– Entendu, je choisirai (**2.**) _____ fleurs que tu préfères.

– Passe aussi chez le pâtissier pour acheter (**3.**) _____ tartelettes.

– Je prends (**4.**) _____ grand panier pour mettre (**5.**) _____ fleurs et (**6.**) _____ tartelettes.

– N'oublie pas (**7.**) _____ porte-monnaie qui se trouve dans le tiroir (**8.**) _____ buffet. »

2 **Récris les phrases en remplaçant les noms soulignés par les noms entre parenthèses. Souligne ensuite les nouveaux déterminants.**

1. N'approche pas de la <u>falaise</u>. (puits) → _____

2. Ne touche pas à la <u>gazinière</u>. (feu) → _____

3. Je connais la fin de l'<u>histoire</u>. (film) → _____

4. La Fontaine vivait à l'<u>époque</u> des rois. (temps) → _____

As-tu réussi tes exercices ?

Très bien ☐   Assez bien ☐   Pas assez bien ☐

7 Les déterminants (2)

Je découvre et je retiens

1 Regardez **cette** photo.

▶ Certains déterminants (*cette*, *ce*, *cet*...) s'utilisent avec un nom pour **montrer** quelqu'un ou quelque chose.

2 **Mes** parents, **ma** sœur et **mon** frère posent devant **notre** nouvelle voiture.

▶ D'autres déterminants (*mon*, *ma*, *mes*, *notre*, *ton*, *ta*...) indiquent l'**appartenance**, la **possession**.

Je m'entraîne

1a **Écris les déterminants qui servent à montrer.**

1. _____ chiens sont trop malheureux en cage.

2. _____ chienne a été adoptée.

3. Qui vous a vendu _____ animal magnifique ?

1b **Complète le dialogue avec les déterminants qui permettent de montrer quelque chose ou quelqu'un.**

1. « Grand-père, raconte-nous _____ histoire de l'ogre qui veut manger les enfants.

2. – _____ soir, si vous êtes sages.

3. – Quand tu étais petit, toi aussi tu avais peur de tous _____ monstres ?

4. – Bien sûr, mais _____ ogre est un personnage inventé, il n'existe pas. »

2a **Complète le tableau avec le nom *chien* accordé avec son déterminant.**

	Masculin singulier	Féminin singulier	Masculin pluriel	Féminin pluriel
À moi	mon chien			
À nous				
À toi				
À vous				

2b **Remplace les noms soulignés par les noms entre parenthèses. Effectue les modifications.**

1. Il joue avec ma <u>sœur</u>. (amie) → _____

2. Il aimerait que tu lui prêtes ta <u>voiture</u>. (automobile) → _____

_____

3. Il se fait faire une piqûre par sa <u>femme</u>. (infirmière) → _____

As-tu réussi tes exercices ?

Très bien ☐   Assez bien ☐   Pas assez bien ☐

8 L'adjectif

Je découvre et je retiens

1 Ce film documentaire montre de <u>magnifiques</u> **animaux** <u>sauvages</u>.
Magnifiques et sauvages donnent des renseignements sur le nom animaux.

▶ **L'adjectif accompagne et précise le nom**. Il est situé avant ou après le nom.

2 Ces lions **paraissent** bien <u>tristes</u> dans leur cage.
Tristes est séparé du nom lions *par le verbe* paraître.

▶ **L'adjectif est relié au nom** par un **verbe d'état** (le plus souvent : *être, sembler, devenir, paraître, avoir l'air de*…). On dit qu'il est attribut du sujet.

Je m'entraîne

1a **Les noms soulignés sont-ils précisés par un adjectif situé avant ou après eux ?**

1. Elle n'a eu que de bonnes <u>notes</u>.	OUI	NON
2. Il va à l'<u>école</u> de musique.	OUI	NON
3. Ils traînent leurs lourds <u>cartables</u>.	OUI	NON
4. Je porterai mon nouveau <u>blouson</u> pour la rentrée.	OUI	NON
5. Mon <u>jogging</u> est trop usé pour que je le porte.	OUI	NON
6. En maths, j'aime bien résoudre des <u>problèmes</u> difficiles.	OUI	NON

1b **Dans ce texte, souligne les adjectifs proches du nom.**

Un groupe d'élèves grimpe à la corde lisse. Sur d'épais tapis de mousse, Félix fait des roulades. Le professeur de gymnastique nous explique un nouvel enchaînement. L'équipe adverse s'entraîne dans le stade voisin.

2a **Entoure l'adjectif attribut du sujet.**

1. Mon vieil <u>ami</u> est très drôle.
2. Ce grand <u>garçon</u> blond a l'air naïf.
3. On dit que les <u>frères</u> jumeaux restent inséparables.
4. Grâce au dressage, un <u>chien</u> devient obéissant.

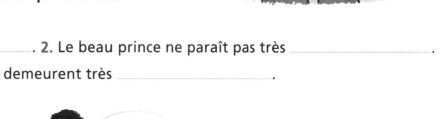

2b **Complète les phrases avec l'adjectif qui convient :**
heureux, laides, triste.

1. La reine semble _____ . 2. Le beau prince ne paraît pas très _____ .

3. Quoi qu'elles fassent, les sorcières demeurent très _____ .

As-tu réussi tes exercices ?

Très bien ☐   Assez bien ☐   Pas assez bien ☐

9 Le complément du nom

Je découvre et je retiens

1 Un **ami** de ma **classe** est parti en vacances en Corse.
Le nom ami est complété par le nom classe.

▶ Le **complément du nom** donne un renseignement sur le nom.
Il est relié au nom par : à, de, par, pour, etc.

2 Toute sa famille a grand **plaisir** à **voyager**.
Le nom plaisir est complété par le verbe voyager.

▶ Le complément du nom peut aussi être un **verbe à l'infinitif**.

Je m'entraîne

1a **Entoure les petits mots qui introduisent un complément du nom.**

Les cinq enfants pénètrent dans leur cabane en bois, construite de leurs mains. Avec sa porte de rondins et ses volets en planches, elle offre un refuge très sûr. Ils y ont rangé tous leurs jouets de l'été : des épées de pirates, des lances d'Indiens, des cannes à pêche et des balles de tennis.

1b **Souligne le nom complété. Trace une flèche entre le complément du nom et le nom complété.**

1. un chapeau de paille **2.** une chemise de toile **3.** un pantalon de ski **4.** un gilet sans manches

1c **Le nom *livre* est-il complété par un complément du nom ? Entoure la bonne réponse.**

1. Il lit son livre de lecture.	OUI	NON
2. Il a perdu son petit livre vert.	OUI	NON
3. Il rend le livre à la bibliothèque.	OUI	NON
4. Mon père adore son livre de cuisine.	OUI	NON

2 **Entoure les verbes à l'infinitif qui complètent le nom.**

un bonbon à la menthe – un bonbon à croquer – une sucette à la fraise – une sucette à sucer – le chat de mon voisin – un chat à adopter – le plaisir du chant – le plaisir de chanter – une envie de glace – une envie de manger – un exercice de français – un exercice à refaire

3 **Complète chaque nom par un autre nom ou par un verbe à l'infinitif.**

1. une boîte à _____ – une boîte de _____ – une boîte en _____

2. une maison en _____ – une maison à _____ – une maison pour _____

As-tu réussi tes exercices ?

Très bien ☐   Assez bien ☐   Pas assez bien ☐

10 Le groupe nominal

Je découvre et je retiens

1 Pour se baigner, Léa a enfilé **son** maillot.

Dét. Nom

▶ Un **groupe nominal** est un groupe de mots composé d'un **déterminant** et d'un **nom.**
On peut l'écrire en abrégé : GN.

2 Pour se baigner, Léa a enfilé **son maillot** rouge.

▶ Parfois, le GN est formé du **nom**, du **déterminant** et d'un **adjectif.**

3 Pour se baigner, Léa a enfilé **son maillot** de bain rouge.

▶ Ici, le GN est formé du **nom** *maillot*, du **déterminant** *son*, de l'**adjectif** *rouge* et du **complément du nom** *de bain*.

Je m'entraîne

1 **Souligne les groupes nominaux. Combien en comptes-tu dans chaque phrase ?**

1. Mon grand-père regarde la télévision. _____

2. Ma sœur adore son maillot de bain rouge. _____

3. Le soir, mes frères regardent leur tablette. _____

4. Mon cousin joue au football le dimanche. _____

2 **Souligne les** groupes nominaux **puis encadre les** adjectifs.

1. Le clown triste fait beaucoup rire Fabio.

2. Il porte un beau pantalon violet ; sa courte veste bleue lui va bien.

3. Il roule sur une petite bicyclette verte.

4. Il a du mal à marcher avec ses grosses chaussures rouges.

3 **Dans les groupes nominaux soulignés, remplace les adjectifs par des compléments du nom.**

Exemple : un homme moustachu → un homme à moustache

1. Cette année, nous avons eu <u>huit jours pluvieux</u>. → _____

2. <u>La pollution terrestre</u> s'aggrave. → _____

3. Le coupable a été identifié grâce à <u>une enquête policière</u>. → _____

4. J'ai vu <u>des papillons nocturnes</u>. → _____

5. Embarquement immédiat dans <u>le vaisseau spatial</u> ! → _____

As-tu réussi tes exercices ?

Très bien ☐   Assez bien ☐   Pas assez bien ☐

11 Les pronoms personnels

Je découvre et je retiens

1 <u>Léa</u> applaudit <u>le jeune magicien</u>. **Elle** (Léa) aimerait **lui** (le jeune magicien) parler.
   Nom   Groupe nominal   Pronom   Pronom

▶ Les pronoms personnels **remplacent un nom ou un groupe nominal**.
Ils permettent d'éviter les répétitions.

2 <u>Elle</u> <u>l'</u>admire énormément.
     ↑   ↖
   Sujet Complément

▶ Comme les noms qu'ils remplacent, les pronoms personnels peuvent être **sujets ou compléments du verbe**.

Je m'entraîne

1a **Transforme les phrases selon l'exemple, puis souligne les pronoms personnels.**

Exemple : Le mécanicien répare la mobylette. → <u>Il la</u> répare.

1. Les bouchers découpent la viande. → _____

2. L'électricien change toutes les ampoules. → _____

3. La fermière ramasse les œufs. → _____

1b **Récris les phrases en utilisant des pronoms personnels de manière à éviter les répétitions.**

1. La présentatrice lit son texte. La présentatrice sourit à la caméra.

→ _____

2. Les pédiatres soignent les enfants. Les pédiatres les guérissent.

→ _____

1c **Indique, pour les mots en couleur, de qui il s'agit : la maîtresse, Timéo ou Madame Borino.**

La maîtresse dit à madame Borino : « Votre fils Timéo travaille bien. Il (_____) comprend vite et

il (_____) s'applique. Je (_____) pense qu'il (_____) suivra facilement en 6ᵉ.

Vous (_____) devez continuer à l' (_____) encourager. »

2 **Indique pour chaque pronom personnel s'il est sujet ou complément.**

Papa épluche les pommes de terre puis il (**1.** _____) les (**2.** _____) lave.

Inès et Idris adorent le miel. Ils (**3.** _____) le (**4.** _____) mangent à la cuillère.

La boulangère vend des bonbons. Elle (**5.** _____) les (**6.** _____) dispose dans

sa vitrine. Jules aime les fleurs. Elles (**7.** _____) lui (**8.** _____) plaisent.

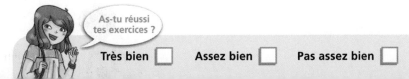

As-tu réussi tes exercices ?

Très bien ☐   Assez bien ☐   Pas assez bien ☐

12 Les pronoms de reprise

Je découvre et je retiens

1 **Les clowns** font rire la foule. Les enfants **les** adorent.
Le clown blanc fait sérieux. Enzo **le** préfère aux autres.
La jeune trapéziste semble voler d'un trapèze à l'autre. La foule **la** suit des yeux.
les *remplace* **les clowns** ; **le** *remplace* **le clown blanc** ; **la** *remplace* **la jeune trapéziste**.

▶ *le* remplace un groupe nominal masculin singulier, *la* un groupe nominal féminin singulier et *les* un groupe nominal pluriel. Ce sont des **pronoms de reprise**.

2 **Le magicien** est très étonnant. Léa aimerait **lui** demander comment il fait.
Les jongleurs sont incroyables. Léa **leur** crie bravo.
lui *remplace* **le jeune magicien** ; **leur** *remplace* **les jongleurs**.

▶ *lui* remplace un groupe nominal singulier et *leur* un groupe nominal pluriel.
Ce sont des **pronoms de reprise**.

Je m'entraîne

1a **Souligne le groupe nominal que remplace chaque pronom en rouge.**

1. Mes sœurs épluchent les pommes de terre puis elles **les** lavent.

2. Mon frère Idriss adore le miel. Il **le** mange à la cuillère.

3. La boulangère vend aussi une tarte. Elle **la** dispose dans sa vitrine.

4. Les cyclistes traversent un gué avec leurs vélos. Ils **les** lavent après la promenade.

1b **Transforme les phrases selon l'exemple puis souligne les pronoms de reprise.**

Exemple : Le mécanicien répare la mobylette. → *Le mécanicien la répare.*

1. Les bouchers découpent la viande. → _____

2. L'électricien change toutes les ampoules. → _____

3. La fermière ramasse les œufs. → _____

4. Le boulanger fait cuire le pain. → _____

2 **Complète les phrases avec *lui* ou *leur*.**

1. La présentatrice regarde son invité. Elle _____ sourit.

2. Les pédiatres soignent les enfants. Ils _____ donnent des conseils d'hygiène.

3. Jules aime les fleurs. Elles _____ plaisent beaucoup.

4. « Votre fils est très souvent en retard. Dites-_____ d'arriver à l'heure. »

5. « Embrassez vos parents. Dites-_____ que nous pensons bien à eux. »

As-tu réussi tes exercices ?

Très bien ☐   Assez bien ☐   Pas assez bien ☐

13 La réduction de la phrase

Je découvre et je retiens

1 Un joli bébé de quatre kilos est né **ce matin, à sept heures précises, à la clinique**.
→ Un joli bébé de quatre kilos est né.

▶ Pour réduire une phrase, on supprime d'abord les mots et groupes de mots **facultatifs** :
les **compléments de phrase**.

2 Un **joli** bébé **de quatre kilos** est né. → Un bébé est né.

▶ On supprime ensuite certains mots des groupes nominaux : les **adjectifs** et les **compléments du nom**.

Je m'entraîne

1 Réduis les phrases en barrant les compléments de phrase.

1. Hier, il y a eu un incendie dans un immeuble, au centre-ville.

2. Très rapidement, les pompiers sont arrivés sur les lieux, sirène hurlante.

3. Au bout de deux heures, le feu a été éteint, dans tous les étages.

4. Fort heureusement, il n'y a pas eu de victimes parmi les habitants de l'immeuble.

2 Réduis les phrases en barrant les adjectifs et les compléments du nom.

1. Louis XIV était un roi de France célèbre.

2. Mon jeune camarade pratique un sport de combat.

3. Le facteur du village distribue le courrier de chaque jour.

4. Ma cousine de Marseille loue une chambre avec vue sur la mer.

3 Récris les phrases en les réduisant au maximum.

1. Cette nuit, un très violent orage a arraché des dizaines de tuiles des toits.

→ _____

2. Pour partir en vacances, mon oncle a acheté une nouvelle voiture de couleur rouge, spacieuse, mais pas très rapide.

→ _____

3. Cette maison ancienne, au bord de la côte sauvage, est inoccupée depuis plus de dix ans.

→ _____

As-tu réussi tes exercices ?

Très bien ☐   Assez bien ☐   Pas assez bien ☐

14 L'expansion de la phrase

Je découvre et je retiens

1 Inès a trouvé un oiseau. → **Hier,** avec son amie Romane, Inès a trouvé un oiseau **dans son jardin.**

▶ Pour développer une phrase composée de ses deux éléments essentiels, le **sujet** et le **prédicat**, on peut ajouter des **compléments de phrase** en se posant des questions comme : *où ?*, *quand ?*, *avec qui ?*, etc.

2 Hier, avec son amie Romane, Inès a trouvé un **jeune** oiseau de nuit dans son jardin.

▶ On peut aussi enrichir les **groupes nominaux** avec des **adjectifs** et des **compléments du nom.**

Je m'entraîne

1 **Pose-toi les questions indiquées, puis écris les phrases enrichies.**

1. Inès ramasse des escargots. (*où ?* et *avec qui ?*)

→ _____

2. Les grenouilles coassent. (*où ?* et *quand ?*)

→ _____

3. Les têtards se cachent. (*où ?* et *pourquoi ?*)

→ _____

2 **Enrichis les phrases avec les adjectifs et les compléments du nom suivants :**
jeunes – de galop – petit – folle – de plantes grasses – prudents – magnifique – de bois – détérioré.

1. Deux _____ poulains font une _____ course _____ .

2. Nous avons visité un _____ jardin _____ .

3. Jules et Louis, _____ , traversent un _____ pont _____ ,

_____ .

3 **Développe la phrase pour qu'elle corresponde le plus précisément possible à l'illustration.**

La jeune Indienne danse.

→ _____

_____

_____

As-tu réussi tes exercices ?

Très bien ☐   Assez bien ☐   Pas assez bien ☐

15 La ponctuation (1)

Je découvre et je retiens

1 Les élèves sortent en récréation. Quels cris de joie ! À quelle heure doivent-ils rentrer ?

▶ Le **point** se met à la fin d'une phrase qui donne une information ; le **point d'interrogation** s'utilise quand on pose une question ; le **point d'exclamation** permet d'exprimer une émotion.

2 Certains garçons jouent au basket, d'autres préfèrent les billes. Chloé lit un livre ; ses amis sautent à la corde.

▶ La **virgule** sépare des mots ou des groupes de mots pour une courte pause. On l'utilise pour séparer les différents éléments d'une énumération.

Le **point-virgule** sépare deux parties d'une phrase. Il marque une pause plus importante que la virgule.

Je m'entraîne

1 **Mets le point qui convient dans chaque case.**

1. Le berger allemand bondit et mit ses grosses pattes sur mes épaules ☐

2. Je vis briller quatre canines blanches ☐

3. Allait-il me mordre ☐

4. Il s'aplatit à mes pieds ☐

5. Ouf, il me lécha les mollets, j'avais eu la peur de ma vie ☐

2a **Place les virgules pour marquer des pauses et séparer les différents éléments.**

1. Les déménageurs doivent emporter les meubles la vaisselle tous les livres de la bibliothèque la guitare de ma sœur sans oublier la télévision.

2. Dans le grenier j'ai trouvé un vieux cheval à bascule des livres anciens une poupée en porcelaine avec tous ses habits.

2b **Place le point-virgule à deux endroits différents. (Tu verras que cela change le sens de la phrase.)**

1. Il neige depuis plusieurs jours j'ai mal à la gorge.
Il neige depuis plusieurs jours j'ai mal à la gorge.

2. Je te téléphonerai la semaine prochaine si je suis libre je passerai te voir.
Je te téléphonerai la semaine prochaine si je suis libre je passerai te voir.

3. Baptiste ira chez ses cousins pour les vacances son frère ira à la montagne.
Baptiste ira chez ses cousins pour les vacances son frère ira à la montagne.

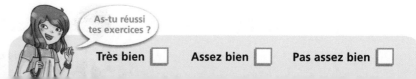

As-tu réussi tes exercices ?

Très bien ☐   Assez bien ☐   Pas assez bien ☐

16 La ponctuation (2)

Je découvre et je retiens

1 Le Petit Poucet et ses six frères, perdus dans la forêt, cherchaient leur maison dans le noir.
« J'ai peur, dit l'un d'eux.
– Ne t'inquiète pas, murmura le Petit Poucet.
– Nous te protègerons, ajoutèrent les autres garçons. »

▶ Dans un texte, les **guillemets** indiquent le début et la fin d'un dialogue. Les **tirets** indiquent un changement de personnage. Il faut aller **à la ligne**.

2 L'ogre **hurla** : « Je sens de la chair fraîche, ici ! »

▶ Quand un verbe comme *hurler*, *dire*, *crier*, introduit des paroles, on met **deux-points** avant les guillemets.

Je m'entraîne

1 **Recopie le texte en mettant les signes de ponctuation du dialogue.**
Veux-tu venir jouer avec moi ? demande Clémentine. J'aimerais bien, mais je n'ai pas encore appris ma leçon, répond Donia. Quel dommage ! Veux-tu que je t'aide ? propose Clémentine.

2a **Transforme les phrases selon le modèle.**

Mon père me dit de me laver les dents. → Mon père me dit : « Lave-toi les dents. »

1. Ses amis lui disent qu'elle chante bien.

→

2. Le haut-parleur annonce que l'avion pour Londres a du retard.

→

2b **Change la ponctuation en utilisant les deux points et les guillemets pour modifier le sens.**

1. Mon ami Noa, dit Fabio, est parti faire de la luge.

→

2. Cet élève, affirme le moniteur de ski, a réussi son concours.

→

As-tu réussi tes exercices ?

Très bien ☐   Assez bien ☐   Pas assez bien ☐

17 L'enchaînement des phrases dans un texte

Je découvre et je retiens

Autrefois, les fourmis étaient si paresseuses qu'elles vivaient sur le dos du chat.
Un jour, il dit aux fourmis : « Descendez, je voudrais vous donner un morceau de sucre. »
Alors, le chat mit un morceau de sucre sur une feuille. **À chaque fois qu'**une fourmi était sur le point de se saisir du sucre, le chat reculait. **Bientôt**, le chat s'enfuit et ne revint jamais. Les fourmis durent se décider à travailler. **Aujourd'hui**, elles passent pour les plus grandes travailleuses de la terre.

▶ Les mots ou expressions soulignés ci-dessus permettent d'**organiser le texte** et de comprendre le **déroulement de l'histoire dans le temps**.

Je m'entraîne

1 **Souligne les mots ou expressions qui aident à comprendre le déroulement de l'histoire.**

Il était une fois une fillette très égoïste qui s'appelait Manon. De sa vie, elle n'avait jamais partagé quelque chose avec un camarade. Un jour, elle oublia son pique-nique lors d'une sortie scolaire. Alors, un camarade de classe lui donna la moitié de son sandwich. À partir de ce jour, la fillette devint complètement différente.

2 **Complète les phrases du conte en utilisant :** *Pendant ce temps – Enfin – Il était une fois – Lorsque – Un jour.*

1. _____ une petite fille que tout le monde aimait bien…

2. _____ sa mère lui dit : « Porte ce morceau de galette à ta grand-mère. »

3. _____ le Petit Chaperon Rouge arriva dans le bois, il rencontra le loup.

4. _____ le loup courut chez la grand-mère et la dévora.

5. _____ un chasseur ouvrit le ventre du loup et délivra le Petit Chaperon et sa grand-mère.

3 **Numérote les phrases dans l'ordre chronologique.**

a. C'est alors que la fée lui rendit sa beauté. _____

b. Il était une fois une princesse d'une grande beauté qui se nommait Lola. Elle avait une sœur très jalouse. _____

c. Le lendemain, Lola se regarda dans son miroir et poussa un cri d'horreur. _____

d. Un jour, la jeune sœur se rendit chez une sorcière et lui demanda de transformer son aînée en laideron. _____

e. Et depuis, les deux sœurs sont inséparables. Leur bonheur fait plaisir à voir. _____

As-tu réussi tes exercices ?

Très bien ☐   **Assez bien** ☐   **Pas assez bien** ☐

18 L'accord du sujet et du verbe (1)

Je découvre et je retiens

1 Les **chaussures** neuves de Léa **brillent** au soleil.
　　Groupe nominal sujet　　　　　Verbe

▶ Le verbe s'accorde avec le mot le plus important du groupe nominal sujet.

2 Au-dessus de sa tête **brille** un soleil de plomb.

▶ Le sujet peut être placé après le verbe. On dit qu'il est **inversé**.

Je m'entraîne

1 Souligne le groupe nominal sujet, entoure le mot principal, puis accorde le verbe au présent.

1. Le chien de mes voisins aboi_____ beaucoup.

2. La voiture des gendarmes s'arrêt_____ sur le bord de la route.

3. Les joueurs de cette équipe gagn_____ tous leurs matchs.

4. Les petits de la lionne et du lion se nomm_____ les lionceaux.

5. Le troupeau de gnous quitt_____ la plaine d'herbes sèches

et arriv_____ dans la plaine d'herbes grasses.

2 Écris la terminaison qui convient en mettant les verbes à l'imparfait.

1. Sous mon regard défil_____ les militaires en rangs serrés.

2. Autour de moi tourbillonn_____ des feuilles dorées.

3. Devant nous cour_____ un jeune chien.

4. De la cheminée s'échapp_____ des volutes de fumée.

5. Du fond de l'horizon s'avanç_____ une terrible tornade.

3 Accorde les verbes en les mettant au présent.

1. Au bord de la rivière nag_____ des poules d'eau.

2. Les volcans d'Auvergne ne crach_____ plus de cendre, ils sont éteints.

3. Les enfants de mon oncle préfèr_____ le ski à la luge.

4. Sous ma fenêtre, tous les jours, pass_____ de gros camions.

5. La cendre des volcans form_____ de gros nuages gris.

As-tu réussi tes exercices ?

Très bien ☐　　Assez bien ☐　　Pas assez bien ☐

19 L'accord du sujet et du verbe (2)

Je découvre et je retiens

1 Le pianiste, le guitariste et le batteur **forment** un orchestre.
      Plusieurs sujets   Verbe

▶ **Plusieurs sujets au singulier** sont équivalents à un sujet au pluriel ; le **verbe s'écrit au pluriel**.

2 L'homme-orchestre **tape**, **tire** et **souffle** dans ses instruments.
     Un sujet   Plusieurs verbes

▶ Quand **plusieurs verbes** ont un **même sujet** au singulier, chacun des verbes s'écrit au singulier.

Je m'entraîne

1 **Écris les verbes au présent.**

Julien et Clément (**1.** adorer) _____ se promener au zoo. Le phoque, l'otarie et l'éléphant de mer (**2.** manger) _____ vers quinze heures. Le lion, le tigre et le léopard (**3.** courir) _____ peu et (**4.** dormir) _____ beaucoup. La mère panda et son petit (**5.** être) _____ les animaux préférés des petits et des grands. Le gardien chef et les deux gardiens (**6.** couper) _____ la viande des fauves, la (**7.** jeter) _____ dans chaque cage et (**8.** continuer) _____ leur tournée.

2 **Mets les verbes au présent en les accordant avec leur sujet.**

La fillette (**1.** appeler) _____ au secours puis (**2.** pleurer) _____ à chaudes larmes. Son père (**3.** arriver) _____, la (**4.** prendre) _____ dans ses bras et la (**5.** consoler) _____. Sa mère (**6.** se précipiter) _____, l'(**7.** embrasser) _____ à son tour puis lui (**8.** raconter) _____ une histoire pour l'endormir.

3 **Dans le texte, écris les verbes à l'imparfait.**

Le premier cow-boy du sud de l'Amérique (**1.** attraper) _____ au lasso les bêtes qui vagabondaient dans la prairie, les (**2.** rassembler) _____ dans un enclos et les (**3.** marquer) _____ au fer rouge afin qu'elles fassent partie de son troupeau. Le taureau, la vache et le veau (**4.** porter) _____ tous la même marque. Ensuite le cow-boy (**5.** convoyer) _____ puis (**6.** vendre) _____ son troupeau dans les villes du Nord où la viande (**7.** être) _____ chère. L'inondation, la tempête de sable, la morsure du serpent et l'attaque des Indiens (**8.** constituer) _____ les principaux dangers encourus pendant ces voyages.

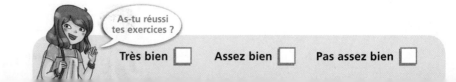

As-tu réussi tes exercices ?

Très bien ☐   Assez bien ☐   Pas assez bien ☐

20 L'accord de l'adjectif et du participe passé

Je découvre et je retiens

1 Le prince **charmant** a rencontré une **charmante** <u>princesse</u>.
Nom   Adjectif   Adjectif   Nom
masc. sing.   fém. sing.

▶ **L'adjectif** s'accorde en **genre** et en **nombre** avec le **nom** qu'il complète.

2 <u>Cette princesse</u> est vraiment très **belle**.
Sujet fém. sing.   Adjectif

▶ Lorsque l'**adjectif** est relié au nom par un verbe tel que *être, sembler, devenir, paraître, avoir l'air…*, il s'accorde en **genre** et en **nombre** avec le **sujet** du verbe.

3 Les <u>sorcières</u> **invitées** au mariage ne vinrent pas.
Nom   Participe
fém. plur.   passé

▶ Le **participe passé employé sans auxiliaire** s'accorde comme un adjectif.

Je m'entraîne

1 Accorde les adjectifs.

1. Chaque dimanche matin, ma mère achète des croissants (chaud) _____. **2.** Mon frère est gourmand, il préfère les (gros) _____ brioches. **3.** Aimez-vous les boissons (sucré) _____ ? **4.** Mes parents prennent un café bien (fort) _____ pour se réveiller.

2 Récris chaque phrase en mettant le sujet au féminin ; accorde les adjectifs.

1. Le lion est dangereux. → La lionne _____

2. Ton chien paraît agressif. → _____

3. Ces chats sont tigrés. → _____

4. Ces chevaux sont blancs. → Ces juments _____

3a Accorde les participes passés.

1. des draps déchir_____   **2.** des nappes brod_____   **3.** un pantalon recous_____

4. une crème renvers_____   **5.** des côtelettes grill_____   **6.** une choucroute garn_____

7. des chaussures vern_____   **8.** des pneus us_____   **9.** un enfant agit_____

3b Écris les terminaisons qui conviennent.

(1.) Réun_____ en toute hâte par le shérif, plusieurs hommes s'apprêtaient à partir à la poursuite du voleur de chevaux. Billy, **(2.)** traqu_____ par ses poursuivants, préférait se cacher dans les montagnes. Mais le groupe à sa poursuite ne perdait pas courage. **(3.)** Effac_____ par le vent, ses traces seraient moins faciles à suivre. Il était innocent : une fois les preuves **(4.)** réun_____, il se rendrait au shérif.

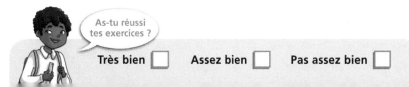

As-tu réussi tes exercices ?

Très bien ☐   Assez bien ☐   Pas assez bien ☐

21 Les accords dans le groupe nominal

Je découvre et je retiens

1 Dans le parc ornithologique, <u>les **oiseaux** de nuit</u> sont difficiles à observer.
Le nom **nuit** *qui complète le nom* **oiseaux** *est au singulier.*

▶ Dans le groupe nominal, **le complément du nom reste invariable.**

2 **Des** beaux oiseaux blancs se sont posés sur l'étang.

▶ Dans le groupe nominal, le **déterminant** et les **adjectifs s'accordent avec le nom.**

Je m'entraîne

1 **Recopie les groupes nominaux en les mettant au pluriel.**

1. Je préfère manger un plat sans sel. → _____

2. Un verre d'eau désaltère bien. → _____

3. Hugo n'aime pas trop la salade à la vinaigrette. → _____

4. En dessert, vous aurez une boule de glace. → _____

2a **Écris l'adjectif qui convient dans chaque groupe nominal :** *court – courte – courts – courtes.*

1. Pour ses compétitions de natation, Zélie préfère porter les cheveux _____.

2. Les manches _____ sont plus agréables à porter l'été.

3. Clara a enfilé un gilet _____ par-dessus sa chemise.

4. Quand elle joue au tennis, Camille porte une jupe _____.

2b **Récris chaque phrase en remplaçant le nom du groupe nominal en gras par le nom entre parenthèses.**

1. Pour les promenades, nous louerons des **bicyclettes** neuves. (vélo)

→ _____

2. Mes meilleures **copines** viendront me rejoindre la dernière semaine des vacances. (copain)

→ _____

3. Nous essayons de gravir un haut **sommet** enneigé. (montagne)

→ _____

4. J'adore ma grande **sœur**. (frère)

→ _____

As-tu réussi tes exercices ?

Très bien ☐ **Assez bien** ☐ **Pas assez bien** ☐

22 Les accords dans la phrase

1 <u>La chatte</u> **protège** ses petits avec énergie. <u>Ils</u> **se blottissent** contre elle au moindre danger.
　　Sujet　　　　　　　　　　　　　　　　　　Sujet
3ᵉ pers. du singulier　　　　　　　　　3ᵉ pers. du pluriel

▶ Les **verbes** s'accordent en personne et en nombre avec le **sujet**.

2 La chatte serrait sous elle ses <u>pattes</u> de <u>chatte errante</u>, **fines** et **dures** comme celles d'un lièvre.
L'adjectif errante *s'accorde avec le nom* chatte, *mais les adjectifs* fines *et* dures *s'accordent avec* pattes.

▶ Il faut bien repérer avec quel **nom** s'accorde l'**adjectif**.

Je m'entraîne

1 **Accorde les verbes comme il convient au présent.**

1. Les spectateurs (applaudir) _____ le magnifique but de l'avant-centre.

2. L'arbitre (siffler) _____ la fin du match.

3. Les joueurs de l'équipe de France (remporter) _____ une victoire bien méritée.

2 **Accorde les adjectifs comme il convient.**

1. Attaqu____ par une hyène affam____ et agressi____, le zèbre s'enfuit à toute allure.

2. Les joueurs de l'équipe français____, survolt____, remportent une victoire bien mérit____.

3. Secoué____ par de forte____ rafales d'une bise glacial____, les volets mal ferm____ claquent sans arrêt.

3 **Récris les phrases en mettant le mot souligné au pluriel. Fais les accords nécessaires.**

1. Irrité par le bruit, mon <u>voisin</u> se met en colère.

→ _____

2. Ce <u>garçon</u> se croit plus intelligent parce qu'il est plus grand.

→ _____

3. Que <u>celle</u> qui est fatiguée aille se reposer.

→ _____

4 **Dans le texte, écris les terminaisons qui conviennent. (Les verbes sont au présent.)**

On dit que les renard____ sont les plus rusé____ des anim____. Ils sav____ utiliser tout____

sorte____ de moyen____ pour attraper leur____ proie____. Il____ entraîn____ leur____ petit____

____ à chasser. Comme tout____ les femelle____, les renard____ devienn____ féroce____ si l'on

attaqu____ leur____ renardeau____ .

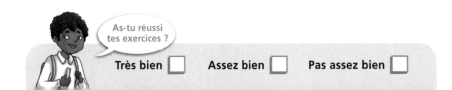

As-tu réussi tes exercices ?

Très bien ☐　　Assez bien ☐　　Pas assez bien ☐

23 La terminaison des participes passés

Je découvre et je retiens

1 Pour mon anniversaire, nous avons **assisté** à un spectacle de cirque que j'ai **choisi**.
assisté *est le participe passé du verbe* **assister,** choisi *est le participe passé du verbe* **choisir.**

▶ Au masculin singulier, le participe passé des **verbes en -er** se termine par **-é,**
celui des **verbes en -ir/-issons** par **-i.**

2 Les spectateurs ont bien **ri** quand le clown a **fait** son entrée. Il est **venu** sur la piste, en voiture à pédales. « Qui a **pris** ma trompette ? Qui me l'a **prise** ? » criait-il.

▶ Le participe passé des **autres verbes** (en **-ir, -oir, -re**) se termine par **-i, -s, -t, -u.**
Pour connaître la terminaison d'un participe passé, on peut le mettre au **féminin.**

Je m'entraîne

1 **Complète les phrases avec le participe passé des verbes entre parenthèses.**

1. Tous les élèves de CM2 ont _____ à un grand rallye en VTT. (participer)

2. Mon ami a _____ un virage ; il est _____ dans un fossé rempli
d'eau. (rater, tomber)

3. Lilou a _____ le parcours avec cinq minutes d'avance. (finir)

4. Tous les participants ont _____ leur vélo avec la boue. (salir)

2 **Transforme les phrases selon le modèle, puis écris la terminaison du participe passé.**

J'ai **appris** *ma leçon d'histoire.* → *Ma leçon d'histoire, je l'ai* **appri<u>se</u>.**

1. Tu as pr_____ ma guitare électrique. → _____

2. Je t'ai offer_____ cette série de cinq DVD. → _____

3. J'ai écri_____ cette lettre à ma tante. → _____

4. Nous avons reconn_____ ton frère à la télé. → _____

3 **Complète le texte avec le participe passé des verbes entre parenthèses.**

Le ciel était (**1.** garnir) _____ de gros nuages noirs. Soudain, il est (**2.** devenir) _____

menaçant et bientôt la pluie a (**3.** commencer) _____ à tomber. L'orage a (**4.** grossir)

_____ rapidement. Monsieur Lefrileux a (**5.** mettre) _____ son imperméable ; il a

(**6.** prendre) _____ son parapluie et est (**7.** sortir) _____ de chez lui. Il est (**8.** revenir)

_____ rapidement car il était (**9.** tremper) _____ et (**10.** saisir) _____

de froid.

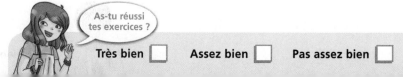

As-tu réussi tes exercices ?

Très bien ☐ **Assez bien** ☐ **Pas assez bien** ☐

24 Le participe passé employé avec l'auxiliaire *être*

Je découvre et je retiens

1 Mon oncle **est** <u>passé</u> nous rendre visite, nous **étions** <u>sortis</u>. Nous **sommes** <u>rentrés</u> tard.

▶ **L'auxiliaire *être*** prend différentes formes : *suis, es, est, sommes, êtes, serai, étais, fus…*

2 Toute la famille **est** <u>partie</u>. Mon père **est** <u>parti</u> en Allemagne.
              Sujet fém. sing.   Sujet masc. sing.

▶ Le **participe passé employé avec l'auxiliaire *être* s'accorde en genre** (masculin, féminin) **avec le sujet** du verbe.

3 Mes sœurs **sont** <u>parties</u> en Espagne et mes deux frères **sont** <u>partis</u> en Italie.
         Sujet fém. plur.   Sujet masc. plur.

▶ Il s'accorde également **en nombre** (singulier, pluriel) avec le sujet du verbe.

Je m'entraîne

1 **Entoure l'auxiliaire *être* dans les phrases.**

1. Les bûches sont empilées en tas, elles seront brûlées cet hiver.

2. La fête sera finie vers minuit, les convives seront invités à rentrer chez eux.

3. Le feu est éteint, les pompiers sont rentrés dans leur caserne.

4. Nous avons terminé notre travail plus tôt que d'habitude.

5. « L'an dernier, j'étais tombée malade pendant les vacances de Noël », dit Anna.

2a **Écris la terminaison qui convient.**

1. Le car est part_____ sous la pluie et il est arriv_____ sous le soleil.

2. La fusée est part_____ à minuit et est arriv_____ à l'heure prévue à la station orbitale.

2b **Complète.**

1. Les vacanciers sont arriv_____ au début du mois et sont part_____ à la fin du mois.

2. Les cigognes sont reven_____ plus tôt cette année, elles sont repart_____ plus tard.

3. Les hirondelles sont appar_____.

3 **Souligne la terminaison des participes passés. Indique par une flèche à qui s'adresse chaque question.**

1. Êtes-vous sorties hier soir ? •   • une fille

2. Êtes-vous sortie hier soir ? •   • un garçon

3. Êtes-vous sorti hier soir ? •   • plusieurs filles

4. Êtes-vous sortis hier soir ? •   • plusieurs garçons

As-tu réussi tes exercices ?

Très bien ☐   Assez bien ☐   Pas assez bien ☐

25 Le participe passé employé avec l'auxiliaire *avoir*

Je découvre et je retiens

1 Le garde forestier **avait** organisé une randonnée. Ma sœur **aurait** aimé venir. Elle **a** beaucoup pleuré.

▶ L'**auxiliaire** *avoir* prend différentes formes : *ai, as, a, avons, avez, ont, avait, eut, aurai…*

2 Les promeneurs **ont** dérangé les marmottes. Elles **ont** sifflé à plusieurs reprises.
    Sujet   Sujet

▶ Le **participe passé employé avec l'auxiliaire** *avoir* **ne s'accorde pas** avec le sujet du verbe.

Je m'entraîne

1 Entoure l'auxiliaire *avoir* dans chaque phrase.

1. Quand tu auras ouvert ton livre, tu croiseras les bras. **2.** Avez-vous trouvé vos erreurs dans la dictée ? **3.** J'ai oublié mes affaires pour la piscine. **4.** Je pensais que ma voisine avait copié sur moi. **5.** Il eût préféré que vous veniez plus tôt. **6.** Elle aura vite rempli son panier de cerises.

2 Écris les verbes de ces phrases au passé composé.

1. Lou cherche ses clés partout. → _____

2. Laura et Manon ramassent les feuilles mortes. → _____

3. La pâtissière prépare des tartes. → _____

4. Nous vîmes trois beaux oiseaux dans le ciel. → _____

5. Au cirque, nous applaudissons très fort. → _____

6. Le clown fait le pitre. → _____

7. Les trapézistes donnent des frissons aux spectateurs. → _____

8. Les musiciens jouent des airs entraînants. → _____

3 Écris les participes passés comme il convient. Reporte-toi à la fiche 24 si nécessaire.

La nuit était (**1.** tomber) _____ . Les soldats avaient (**2.** allumer) _____ des torches. Ils avaient (**3.** revêtir) _____ leur cuirasse. Les engins de guerre étaient (**4.** disposer) _____ sur les remparts. Chacun avait (**5.** préparer) _____ son arc et ses flèches. La bataille était (**6.** prévoir) _____ de longue date. Les généraux avaient (**7.** établir) _____ leur plan de bataille. À minuit, les cuirassiers furent (**8.** avertir) _____ de contourner la petite colline. Quelques instants plus tard, l'ordre leur fut (**9.** donner) _____ d'attaquer ; la bataille fit rage toute la nuit.

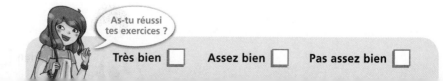

As-tu réussi tes exercices ?

Très bien ☐   **Assez bien** ☐   **Pas assez bien** ☐

26 Participe passé ou infinitif ?

Je découvre et je retiens

Comment distinguer le participe passé en -é de l'infinitif en -er ?

1 Il vous faudra <u>terminer</u> vos devoirs avant de partir. → Il vous faudra <u>finir</u> vos devoirs.
     Verbe en -*er* à l'infinitif   Verbe en -*ir* à l'infinitif

On peut dire aussi : il faudra <u>rendre</u> vos devoirs ; il faudra <u>faire</u> vos devoirs, etc.

▶ Un verbe en -*er* à l'infinitif peut être remplacé par l'infinitif d'un verbe qui ne se termine pas en -*er*, comme *finir, faire, rendre*, etc.

2 Vos devoirs <u>terminés</u>, vous pourrez partir. → Vos devoirs <u>finis</u>, vous pourrez partir.
     Participe passé d'un verbe en -*er*   Participe passé d'un verbe en -*ir*

On peut dire aussi : vos devoirs <u>faits</u> ; vos devoirs <u>rendus</u>, etc.

▶ Le participe passé d'un verbe en -*er* peut être remplacé par le participe passé d'un verbe qui ne se termine pas en -*er*.

Je m'entraîne

1 Écris les terminaisons des verbes indiqués, puis remplace-les par un verbe à l'infinitif qui ne se termine pas en -*er*.

Pour **navigu**_____ (1. _____) sur un bateau, il faut savoir **nag**_____ (2. _____).
Sur un voilier, il faut toujours **rang**_____ (3. _____) les cordages pour ne pas **tomb**_____
(4. _____). Mon oncle adore **plong**_____ (5. _____) du bord du pont de son bateau.

2 Remplace les verbes indiqués par le participe passé d'un verbe dont l'infinitif ne se termine pas en -*er*, puis écris les terminaisons.

Le tigre blanc **arriv**_____ (1. _____) au parc des félins la semaine dernière n'a que six mois.
Vaccin_____ (2. _____) et **soign**_____ (3. _____), il est aujourd'hui en pleine forme.
Deux autres tigres blancs **arriv**_____ (4. _____) l'année dernière lui ont fait la fête.

3 Écris le participe passé ou l'infinitif des verbes.

1. **arriver** → Je dois _____ tôt pour être le premier.
2. **arriver** → _____ tôt, je serai le premier.
3. **trouver** → La solution _____, vous aurez gagné.

4 Écris la terminaison qui convient.

1. J'aime dessin_____ des robots et des véhicules de l'espace.
2. L'exercice d'orthographe donn_____ ce matin était difficile.
3. Le bateau répar_____ va pouvoir reprendre la mer.

Le doublement de la consonne en début de mot

Je découvre et je retiens

1 Félix aime les films e**ff**rayants. A**f**in de lui faire plaisir, je lui ai o**ff**ert une a**ff**iche de cinéma.

▶ **Les mots qui commencent par *af-*, *ef-* et *of-*** doublent leur consonne sauf *afin* et *Afrique*.

2 Il a a**cc**umulé les affiches et a**cc**roché des photos d'a**c**teurs, mais aussi d'a**c**robates : il adore le cirque.

▶ **Les mots qui commencent par *ac-*** doublent aussi leur consonne sauf quelques-uns comme *acrobate*, *acteur*, *acajou*, *acacia*, *académie*...

3 Il m'a**pp**elle pour me voir. J'a**pp**récie son amitié, je me suis a**p**erçu qu'elle compte pour moi.

▶ **Les mots qui commencent par *ap-*** doublent leur consonne sauf quelques-uns comme *apéritif*, *apercevoir*, *apaiser*, *aplatir*, *apogée*, *apiculture*, *apitoyer*, *apostrophe*...

Je m'entraîne

1 Dans ton dictionnaire, cherche et recopie 3 verbes à l'infinitif commençant par *af-*, *ef-* et *of-*.

1. af- : _____ ; _____ ; _____

2. ef- : _____ ; _____ ; _____

3. of- : _____ ; _____ ; _____

2 Complète les mots.

Pour mon anniversaire, grand-père a **(1.)** a_____epté de me jouer un air **(2.)** d'a_____ordéon. Tu as dû **(3.)** a_____rocher ton pull dans les rosiers, je compte au moins trois **(4.)** a_____rocs. Mon frère apprend l'anglais, son **(5.)** a_____ent n'est pas encore parfait.

3 Écris un nom qui correspond à chaque verbe. Utilise ton dictionnaire.

1. applaudir _____   2. appeler _____   3. appliquer _____

4. approfondir _____   5. approcher _____   6. apparaître _____

7. apprendre _____   8. appuyer _____   9. apporter _____

4 Complète les mots avec une consonne simple **ou une** consonne double. Utilise ton dictionnaire.

1. **f ou ff** : une a____iche ; l'A____rique ; un e____ort ; a____reux ; a____in ; une a____aire ; un o____icier

2. **c ou cc** : un a____ord ; les a____tualités ; un a____robate ; une a____usation ; une a____adémie ; un a____ident ; a____élérer ; l'a____ajou ; a____rocher

3. **p ou pp** : a____rendre ; un a____artement ; a____rès ; un a____areil ; une a____ostrophe ; l'a____étit ; l'a____éritif ; un a____ui ; a____ercevoir

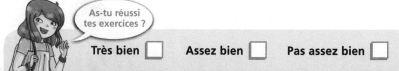

As-tu réussi tes exercices ?

Très bien ☐   **Assez bien** ☐   **Pas assez bien** ☐

28 Les noms féminins se terminant par les sons « é » ou « è »

Je découvre et je retiens

1 Sous la pouss<u>ée</u> du vent, le navire rentre au port à la tomb<u>ée</u> de la nuit après une bonne travers<u>ée</u>.

▶ Les noms féminins qui se terminent par le son « é » s'écrivent **-ée**, sauf *la clé*.

2 En pêchant la r<u>aie</u> géante, Tom s'est blessé ; heureusement, la pl<u>aie</u> est bénigne.

▶ Les noms féminins qui se terminent par le son « è » s'écrivent **-aie**, sauf *la paix, la forêt*.

Je m'entraîne

1a Écris la terminaison de ces noms féminins. Entoure l'intrus.

1. l'arriv_____ ; une journ_____ ; la bouch_____ ; une entr_____ ; la contr_____

2. l'ann_____ ; la gel_____ ; l'araign_____ ; la mar_____ ; la cl_____

3. l'arm_____ ; une ép_____ ; la chemin_____ ; une gorg_____ ; la flamb_____

1b Trouve le nom féminin qui correspond à chaque définition.

1. Confiserie distribuée pour les baptêmes : une _____

2. Objet flottant qui maintient une personne à la surface de l'eau : une _____

3. Quantité de poudre, graines, etc., que l'on peut prendre entre ses doigts : une _____

1c Complète les phrases avec les noms féminins suivants correctement orthographiés.

id_____ – girofl_____ – all_____ – entr_____ – tranch_____ – tomb_____

L'(**1.**) _____ dans son jardin se fait par une large (**2.**) _____ bordée de fleurs. La (**3.**) _____ est sa fleur préférée, elle est très parfumée. Il a eu l'(**4.**) _____ de creuser une (**5.**) _____ au fond du jardin pour enfouir les déchets végétaux. Aux beaux jours, il jardine jusqu'à la (**6.**) _____ de la nuit.

2 Complète avec les noms qui conviennent. Tu peux utiliser un dictionnaire.

Se réconcilier, c'est faire la (**1.**) _____. La (**2.**) _____ vierge est une grande étendue d'arbres non modifiée par l'homme. Une plantation de bananiers s'appelle une (**3.**) _____. Un terrain planté d'orangers s'appelle une (**4.**) _____. Une plantation de pommiers s'appelle une (**5.**) _____. Les oliviers poussent dans une (**6.**) _____ ou une (**7.**) _____. Un terrain planté de cerisiers où mûrissent des cerises s'appelle une (**8.**) _____.

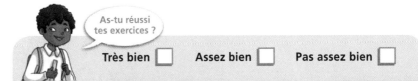

As-tu réussi tes exercices ?

Très bien ☐   Assez bien ☐   Pas assez bien ☐

29 Les noms féminins se terminant par -té ou -tié

Je découvre et je retiens

① Sur Internet, on trouve de grandes quantités d'articles de qualité, vendus à la moitié du prix.

▶ La plupart des noms féminins en **-té** ou **-tié** ne prennent pas de **-e** final.

② Mon chien mange une assiettée de pâtée. Je surveille la montée ou la baisse des prix.

▶ Six mots ne suivent pas cette règle (*la **butée**, la **dictée**, la **jetée**, la **montée**, la **pâtée** et la **portée***), ainsi que les mots qui expriment une contenance (*une **assiettée***).

Je m'entraîne

1a **Complète ces noms féminins.**

1. L'amit_____ entre les hommes est un progrès pour l'humanit_____.

2. Les journaux traitent des évènements récents, c'est ce qu'on appelle l'actualit_____.

3. Connaissant sa bont_____, je sais qu'il me donnera la moit_____ de son goûter si j'oublie le mien.

4. La facilit_____ ou la difficult_____ d'un problème lui importe peu.

5. Attila, le chef des Huns, était un homme sans pit_____ : il a fait raser la cit_____.

1b **Écris le nom de la même famille.**

Exemple : loyal → la loyauté.

1. solidaire _____ 2. précoce _____ 3. habile _____

4. lucide _____ 5. crédule _____ 6. naïve _____

7. téméraire _____ 8. méchant _____

2a **Pour chaque ligne, écris la terminaison de ces noms féminins et entoure l'intrus.**

1. la propret_____ ; la mont_____ ; la beaut_____ ; la nouveaut_____

2. la possibilit_____ ; la majest_____ ; la port_____ ; la salet_____

3. la félicit_____ ; la fiert_____ ; la jet_____ ; la nouveaut_____

4. la libert_____ ; l'égalit_____ ; la cavit_____ ; la dict_____

2b **Écris le mot qui indique la contenance. Utilise ton dictionnaire.**

1. Le contenu d'une pelle : une _____ de sable.

2. Le contenu d'une assiette : une _____ de soupe.

3. Le contenu d'une brouette : une _____ de terre.

4. Ce que peuvent contenir les deux bras : une _____ de bois.

As-tu réussi tes exercices ?

Très bien ☐ Assez bien ☐ Pas assez bien ☐

Cahier du jour / Cahier du soir

Français CM2

Corrigés

● Une fois les exercices terminés, l'enfant consultera les **corrigés**. Dans un premier temps, il faudra s'assurer qu'il a compris la **cause de son erreur** ; si ce n'est pas le cas, votre aide lui sera précieuse.

● Ensuite, à la fin de chaque page, **l'enfant s'auto-évaluera** en répondant à la question **« As-tu réussi tes exercices ? »** et en cochant la case correspondant à ses résultats.

– Si la majorité des exercices est juste, l'enfant cochera la case « Très bien ».
– S'il a à peu près autant d'exercices justes que d'exercices faux, il indiquera « Assez bien ».
– S'il a plus d'exercices faux que d'exercices justes, il cochera la case « Pas assez bien ».

Grâce à cette petite rubrique, l'enfant apprendra à évaluer son travail et à progresser sans jamais se décourager. S'il a coché la case « Pas assez bien », rassurez-le en lui disant que l'essentiel n'est pas le résultat mais la compréhension des erreurs commises.

GRAMMAIRE

1. Le sujet de la phrase

❶ **1.** Le chapiteau du cirque ; **2.** Le dompteur ; **3.** Les spectateurs ; **4.** les premières feuilles jaunies ; **5.** les premiers orages ; **6.** quatre biches ; **7.** les premiers escargots.

❷ **1.** C'est Jacques Cartier **qui** a découvert le Canada. **2.** C'est Graham Bell **qui** a inventé le téléphone. **3. Ce sont** Pierre et Marie Curie **qui** ont découvert le radium. **4. Ce sont** Laurel et Hardy **qui** sont deux stars du cinéma noir et blanc.

❸ <u>Hugo</u> est dresseur dans un cirque ; <u>il</u> possède douze éléphants. Tous les matins, <u>son épouse et lui</u> s'occupent d'eux. Chaque soir, <u>les spectateurs</u> applaudissent le numéro spectaculaire qu'<u>ils</u> réalisent. <u>Les enfants</u> apprécient particulièrement les éléphanteaux.

2. L'identification du verbe de la phrase

❶a **1.** prendre ; **2.** partir ; **3.** manger ; **4.** faire ; **5.** vouloir ; **6.** avoir ; **7.** être ; **8.** finir.

❶b Adrien tarde à aller chez le dentiste. Une carie le <u>fait souffrir</u> depuis deux jours. Plusieurs personnes <u>sont</u> déjà dans la salle d'attente. Adrien n'<u>avait</u> pas de rendez-vous. Malgré tout, le dentiste <u>accepte</u> de le soigner.

❷a J'attrape un hérisson. Je le garde en liberté dans mon jardin. Il fait la chasse aux insectes et mange des feuilles de salade. Je l'apprivoise un peu. Il se met en boule. Je le libère dans la campagne.

❷b **Nous** attrapons des hérissons. **Nous** les gardons en liberté dans notre jardin. **Ils** font la chasse aux insectes et mangent des feuilles de salade. **Nous** les apprivoisons un peu. **Ils** se mettent en boule. **Nous** les libérons dans la campagne.

3. Le prédicat de la phrase

❶ **1.** quittent leur vaisseau spatial ; **2.** pense à son futur voyage ; **3.** dirige l'alunissage. **4.** a réussi son atterrissage ; **5.** ressemble à une boule bleue ; **6.** pèse quatre-cents tonnes ; **7.** parlera de son aventure spatiale.

❷

1. La locomotive entraîne les wagons.	« les wagons » est le complément du verbe **entraîner**
2. Tous les matins, ma mère prend le train.	
3. Le chauffeur de car prend du gazole.	« du gazole » est le complément du verbe **prendre**
4. Cette année, il change de vélo.	

❸ **1.** au football. ; **2.** une équipe voisine ; **3.** un ballon prisonnier.

4. Le complément de phrase

❶a **1.** dans le village gaulois ; **2.** avant chaque bataille ; **3.** Dans la forêt – sur les arbres ; **4.** depuis un mois ; **5.** en Égypte ; **6.** Après chaque victoire – sur la place du village.

I

1b 1. Nous cherchons des champignons. 2. Nous allons nous promener.

2 1. Le tonnerre a grondé cette nuit. 2. Dans la nuit, le vent a brisé notre sapin. 3. L'hiver, les nuages cachent (trop souvent) le soleil, trop souvent.

3 Exemples de réponses : 1. Grand-mère invite ses voisins **deux fois par an**. 2. Toute la famille regarde le journal télévisé **à vingt heures**.

5. L'identification du nom

1 Lucas – sœur – bois – sangliers – branches – passage – animaux – promeneurs – peur.

2a 1. une chienne ; 2. Mon frère ; 3. l'amie.

2b 1. des livres ; 2. mon amie ; 3. des roses.

3 la dune (f ; s) – l'océan (m ; s) – l'horizon (m ; s) – des voiliers (m ; p) – le ciel (m ; s) – les mouettes (f ; p) – des baigneuses (f ; p) – des promeneurs (m ; p) – des coquillages (m ; p) – la plage (f ; s).

6. Les déterminants (1)

1a 1. des souris ; 2. les rongeurs ; 3. des os ; 4. les os.

1b 1. un hibou ; 2. Le rapace ; 3. un lapin ; 4. La pauvre bête ; 5. L'oiseau.

1c 1. des fleurs ; 2. les fleurs que tu préfères ; 3. des tartelettes ; 4. un grand panier ; 5. les fleurs ; 6. les tartelettes ; 7. le portemonnaie ; 8. le tiroir du buffet.

2 1. N'approche pas du puits. 2. Ne touche pas au feu. 3. Je connais la fin du film. 4. La Fontaine vivait au temps des rois.

7. Les déterminants (2)

1a 1. Ces chiens ; 2. Cette chienne ; 3. cet animal.

1b 1. cette histoire ; 2. Ce soir ; 3. ces monstres ; 4. cet ogre.

2a

	Masculin singulier	Féminin singulier	Masculin pluriel	Féminin pluriel
À moi	mon chien	ma chienne	mes chiens	mes chiennes
À nous	notre chien	notre chienne	nos chiens	nos chiennes
À toi	ton chien	ta chienne	tes chiens	tes chiennes
À vous	votre chien	votre chienne	vos chiens	vos chiennes

2b 1. Il joue avec mon amie. 2. Il aimerait que tu lui prêtes ton automobile. 3. Il se fait faire une piqûre par son infirmière.

8. L'adjectif

1a 1. OUI. 2. NON. 3. OUI. 4. OUI. 5. NON. 6. OUI.

1b Un groupe d'élèves grimpe à la corde lisse. Sur d'épais tapis de mousse, Félix fait des roulades. Le professeur de gymnastique nous explique un nouvel enchaînement. L'équipe adverse s'entraîne dans le stade voisin.

2a 1. Mon vieil ami est très drôle. 2. Ce grand garçon blond a l'air naïf. 3. On dit que les frères jumeaux restent inséparables. 4. Grâce au dressage, un chien devient obéissant.

2b 1. triste ; 2. heureux ; 3. laides.

9. Le complément du nom

1a leur cabane en bois ; sa porte de rondins et ses volets en planches ; leurs jouets de l'été : des épées de pirates, des lances d'Indiens, des cannes à pêche et des balles de tennis.

1b 1. un chapeau de paille ; 2. une chemise de toile ; 3. un pantalon de ski ; 4. un gilet sans manches.

1c 1. OUI. 2. NON. 3. NON. 4. OUI.

2 croquer ; sucer ; adopter ; chanter ; manger ; refaire.

3 **Réponses possibles :** 1. une boîte à réparer ; une boîte de chocolats ; une boîte en fer. 2. une maison en carton ; une maison à louer ; une maison pour dormir.

10. Le groupe nominal

1 1. Mon grand-père regarde la télévision. (2) ; 2. Ma sœur adore son maillot de bain rouge. (2) ; 3. Le soir, mes frères regardent leur tablette. (3) ; 4. Mon cousin joue au football, le dimanche. (3).

2 1. Le clown triste fait beaucoup rire Fabio.
2. Il porte un beau pantalon violet ; sa courte veste bleue lui va bien.
3. Il roule sur une petite bicyclette verte.
4. Il a du mal à marcher avec ses grosses chaussures rouges.

3 1. de pluie ; 2. de la Terre ; 3. de police ; 4. de nuit ; 5. de l'espace.

11. Les pronoms personnels

1a 1. Ils la découpent. 2. Il les change toutes. 3. Elle les ramasse.

1b 1. La présentatrice lit son texte. Elle sourit à la caméra. 2. Les pédiatres soignent les enfants. Ils les guérissent.

1c Il (Timéo) comprend vite et il (Timéo) s'applique. Je (la maîtresse) pense qu'il (Timéo) suivra facilement en 6ᵉ. Vous (madame Borino) devez continuer à l'(Timéo) encourager.

2 1. Sujet. 2. Complément. 3. Sujet. 4. Complément. 5. Sujet. 6. Complément. 7. Sujet. 8. Complément.

12. Les pronoms de reprise

1a 1. les pommes de terre ; 2. le miel ; 3. une tarte ; 4. leurs vélos.

1b 1. Les bouchers la découpent. 2. L'électricien les change. 3. La fermière les ramasse. 4. Le boulanger le fait cuire.

2 1. lui ; 2. leur ; 3. lui ; 4. lui ; 5. leur.

13. La réduction de la phrase

1 1. ~~Hier,~~ il y a eu un incendie ~~dans un immeuble, au centre-ville~~.
2. ~~Très rapidement,~~ les pompiers sont arrivés ~~sur les lieux, sirène hurlante~~.

3. ~~Au bout de deux heures~~, le feu a été éteint, ~~dans tous les étages~~.

4. ~~Fort heureusement~~, il n'y a pas eu de victimes ~~parmi les habitants de l'immeuble~~.

② **1.** Louis XIV était un roi ~~de France, célèbre~~.

2. Mon ~~jeune~~ camarade pratique un sport ~~de combat~~.

3. Le facteur ~~du village~~ distribue le courrier ~~de chaque jour~~.

4. Ma cousine ~~de Marseille~~ loue une chambre ~~avec vue sur la mer~~.

③ **1.** Un orage a arraché des tuiles. **2.** Mon oncle a acheté une voiture. **3.** Cette maison est inoccupée.

14. L'expansion de la phrase

① **1.** Inès ramasse des escargots dans le jardin avec son frère.

2. Les grenouilles coassent dans la mare, le soir.

3. Les têtards se cachent sous les nénuphars pour s'abriter des prédateurs.

② **1.** jeunes ; folle ; de galop. **2.** magnifique ; de plantes grasses. **3.** prudents ; petit ; de bois ; détérioré.

③ La jeune Indienne, coiffée de deux tresses et vêtue d'une robe jaune et rouge, danse autour du totem.

15. La ponctuation (1)

① **1.** . ; **2.** . ; **3.** ? ; **3.** . ; **4.** !

②ₐ **1.** Les déménageurs doivent emporter les meubles, la vaisselle, tous les livres de la bibliothèque, la guitare de ma sœur, sans oublier la télévision.

2. Dans le grenier, j'ai trouvé un vieux cheval à bascule, des livres anciens, une poupée en porcelaine avec tous ses habits.

②ᵦ **1.** Il neige ; depuis plusieurs jours j'ai mal à la gorge.
Il neige depuis plusieurs jours ; j'ai mal à la gorge.

2. Je te téléphonerai la semaine prochaine ; si je suis libre je passerai te voir.
Je te téléphonerai la semaine prochaine si je suis libre ; je passerai te voir.

3. Baptiste ira chez ses cousins ; pour les vacances son frère ira à la montagne.
Baptiste ira chez ses cousins pour les vacances ; son frère ira à la montagne.

16. La ponctuation (2)

① « Veux-tu venir jouer avec moi ? demande Clémentine.

– J'aimerais bien, mais je n'ai pas encore appris ma leçon, répond Donia.

– Quel dommage ! Veux-tu que je t'aide ? propose Clémentine. »

②ₐ **1.** Ses amis lui disent : « Tu chantes bien. »

2. Le haut-parleur annonce : « L'avion pour Londres a du retard. »

②ᵦ **1.** Mon ami Noa dit : « Fabio est parti faire de la luge. »

2. Cet élève affirme : « Le moniteur de ski a réussi son concours. »

17. L'enchaînement des phrases dans un texte

① Il était une fois ; De sa vie ; Un jour ; Alors ; À partir de ce jour.

② **1.** Il était une fois ; **2.** Un jour ; **3.** Lorsque ; **4.** Pendant ce temps ; **5.** Enfin.

③ a. 4 ; b. 1 ; c. 3 ; d. 2 ; e. 5.

18. L'accord du sujet et du verbe (1)

① **1.** Le chien de mes voisins aboie beaucoup. **2.** La voiture des gendarmes s'arrête sur le bord de la route. **3.** Les joueurs de cette équipe gagnent tous leurs matchs. **4.** Les petits de la lionne et du lion se nomment les lionceaux. **5.** Le troupeau de gnous quitte la plaine d'herbes sèches et arrive dans la plaine d'herbes grasses.

② **1.** défilaient ; **2.** tourbillonnaient ; **3.** courait ; **4.** s'échappaient. **5.** Du fond de l'horizon s'avançait une terrible tornade.

③ **1.** Au bord de la rivière nagent des poules d'eau.
2. Les volcans d'Auvergne ne crachent plus de cendre, ils sont éteints.
3. Les enfants de mon oncle préfèrent le ski à la luge.
4. Sous ma fenêtre, tous les jours, passent de gros camions.
5. La cendre des volcans forme de gros nuages gris.

19. L'accord du sujet et du verbe (2)

① **1.** adorent ; **2.** mangent ; **3.** courent ; **4.** dorment ; **5.** sont ; **6.** coupent ; **7.** jettent ; **8.** continuent.

② **1.** appelle ; **2.** pleure ; **3.** arrive ; **4.** prend ; **5.** console ; **6.** se précipite ; **7.** embrasse ; **8.** raconte.

③ **1.** attrapait ; **2.** rassemblait ; **3.** marquait ; **4.** portaient ; **5.** convoyait ; **6.** vendait ; **7.** était ; **8.** constituaient.

20. L'accord de l'adjectif et du participe passé

① **1.** des croissants chauds. **2.** les grosses brioches. **3.** les boissons sucrées. **4.** un café bien fort.

② **1.** La lionne est dangereuse. **2.** Ta chienne paraît agressive. **3.** Ces chattes sont tigrées. **4.** Ces juments sont blanches.

③ₐ **1.** déchirés ; **2.** brodées ; **3.** recousu ; **4.** renversée ; **5.** grillées ; **6.** garnie ; **7.** vernies ; **8.** usés ; **9.** agité.

③ᵦ **1.** Réunis ; **2.** traqué ; **3.** Effacées ; **4.** réunies.

21. Les accords dans le groupe nominal

① **1.** des plats sans sel ; **2.** des verres d'eau ; **3.** les salades à la vinaigrette ; **4.** des boules de glace.

②ₐ **1.** courts ; **2.** courtes ; **3.** court ; **4.** courte.

②ᵦ **1.** des vélos neufs ; **2.** mon meilleur copain viendra ; **3.** une haute montagne enneigée ; **4.** mon grand frère.

22. Les accords dans la phrase

❶ 1. applaudissent ; 2. siffle ; 3. remportent.

❷ 1. attaqué ; affamée ; agressive ; 2. française ; survoltés ; méritée ; 3. secoués ; fortes ; glaciale ; fermés.

❸ 1. Irrités par le bruit, mes voisins se mettent en colère.

2. Ces garçons se croient plus intelligents parce qu'ils sont plus grands.

3. Que celles qui sont fatiguées aillent se reposer.

❹ On dit que les renards sont les plus rusés des animaux. Ils savent utiliser toutes sortes de moyens pour attraper leurs proies. Ils entraînent leurs petits à chasser. Comme toutes les femelles, les renardes deviennent féroces si on attaque leurs renardeaux.

23. La terminaison des participes passés

❶ 1. participé ; 2. raté ; tombé ; 3. fini ; 4. sali.

❷ 1. Ma guitare électrique, tu l'as prise. 2. Cette série de cinq DVD, je te l'ai offerte. 3. Cette lettre, je l'ai écrite à ma tante. 4. Ton frère, nous l'avons reconnu à la télé.

❸ 1. garni ; 2. devenu ; 3. commencé ; 4. grossi ; 5. mis ; 6. pris ; 7. sorti ; 8. revenu ; 9. trempé ; 10. saisi.

24. Le participe passé avec l'auxiliaire *être*

❶ 1. Les bûches sont empilées en tas, elles seront brûlées cet hiver.

2. La fête sera finie vers minuit, les convives seront invités à rentrer chez eux.

3. Le feu est éteint, les pompiers sont rentrés dans leur caserne.

4. Il n'y a pas d'auxiliaire *être* dans cette phrase.

5. « L'an dernier, j'étais tombée malade pendant les vacances de Noël », dit Anna.

❷a 1. parti – arrivé ; 2. partie – arrivée.

❷b 1. Les vacanciers sont arrivés au début du mois et sont partis à la fin du mois. 2. Les cigognes sont revenues plus tôt cette année, elles sont reparties plus tard. 3. Les hirondelles sont apparues.

❸ 1. Êtes-vous sorties hier soir ? → plusieurs filles

2. Êtes-vous sortie hier soir ? → une fille

3. Êtes-vous sorti hier soir ? → un garçon

4. Êtes-vous sortis hier soir ? → plusieurs garçons

25. Le participe passé avec l'auxiliaire *avoir*

❶ 1. Quand tu auras ouvert ton livre, tu croiseras les bras. 2. Avez-vous trouvé vos erreurs dans la dictée ? 3. J'ai oublié mes affaires pour la piscine. 4. Je pensais que ma voisine avait copié sur moi. 5. Il eût préféré que vous veniez plus tôt. 6. Elle aura vite rempli son panier de cerises.

❷ 1. Lou a cherché ses clés partout. 2. Laura et Manon ont ramassé les feuilles mortes. 3. La pâtissière a préparé des tartes. 4. Nous avons vu trois beaux oiseaux dans le ciel. 5. Au cirque, nous avons applaudi très fort. 6. Le clown a fait le pitre. 7. Les trapézistes ont donné des frissons aux spectateurs. 8. Les musiciens ont joué des airs entraînants.

❸ 1. tombée ; 2. allumé ; 3. revêtu ; 4. disposés ; 5. préparé ; 6. prévue ; 7. établi ; 8. avertis ; 9. donné.

26. Participe passé ou infinitif ?

❶ 1. naviguer/partir ; 2. nager/courir ; 3. ranger/tenir ; 4. tomber/sortir ; 5. plonger/bondir.

❷ 1. arrivé/venu ; 2. Vacciné/Rétabli ; 3. soigné/nourri ; 4. arrivés/venus.

❸ 1. arriver ; 2. Arrivé ; 3. trouvée.

❹ 1. dessiner ; 2. donné ; 3. réparé.

27. Le doublement de la consonne en début de mot

❶ Quelques exemples :

1. af- : affaiblir, affamer, affecter, afficher, affiner…

2. ef- : effacer, effarer, effrayer, effriter…

3. of- : offenser, officialiser, offrir, offusquer…

❷ 1. Pour mon anniversaire, grand-père a (1.) accepté de me jouer un air (2.) d'accordéon. 2. Tu as dû (3.) accrocher ton pull dans les rosiers, je compte au moins trois (4.) accrocs. 3. Mon frère apprend l'anglais, son (5.) accent n'est pas encore parfait.

❸ 1. applaudissement ; 2. appel ; 3. application ; 4. approfondissement ; 5. approche ; 6. apparition ; 7. apprentissage ; 8. appui ; 9. apport.

❹ 1. une affiche ; l'Afrique ; un effort ; affreux ; afin ; une affaire ; un officier.

2. un accord ; les actualités ; un acrobate ; une accusation ; une académie ; un accident ; accélérer ; l'acajou ; accrocher.

3. apprendre ; un appartement ; après ; un appareil ; une apostrophe ; l'appétit ; l'apéritif ; un appui ; apercevoir.

28. Les noms féminins se terminant par les sons « é » ou « è »

❶a 1. l'arrivée ; une journée ; la bouchée ; une entrée ; la contrée.

2. l'année ; la gelée ; l'araignée ; la marée ; la clé

3. l'armée ; une épée ; la cheminée ; une gorgée ; la flambée.

❶b 1. une dragée ; 2. une bouée ; 3. une pincée.

❶c 1. L'entrée ; 2. allée ; 3. giroflée ; 4. l'idée ; 5. tranchée ; 6. tombée.

❷ 1. la paix ; 2. la forêt ; 3. une bananeraie ; 4. une orangeraie ; 5. une pommeraie ; 6. une oliveraie ; 7. une olivaie ; 8. une cerisaie.

29. Les noms féminins terminés par -té ou -tié

❶a 1. L'amitié – l'humanité ; 2. l'actualité ; 3. sa bonté – la moitié ; 4. La facilité – la difficulté ; 5. sans pitié – la cité.

❶b 1. la solidarité ; 2. la précocité ; 3. l'habileté ; 4. la lucidité ; 5. la crédulité ; 6. la naïveté ; 7. la témérité ; 8. la méchanceté.

2a 1. la propreté ; (la montée) ; la beauté ; la nouveauté.

2. la possibilité ; la majesté ; (la portée) ; la saleté.

3. la félicité ; la fierté ; (la jetée) ; la nouveauté.

4. la liberté ; l'égalité ; la cavité ; (la dictée).

2b 1. une pelletée ; 2. une assiettée ; 3. une brouettée ; 4. une brassée.

30. Les noms terminés par un e muet

1a 1. sonnerie ; 2. vue ; 3. rentrée ; 4. gelée ; 5. tricherie ; 6. étendue.

1b 1. la pharmacie ; 2. la boulangerie ; 3. la charcuterie ;
4. la librairie ; 5. la teinturerie ; 6. la mercerie.

2 1. La nuit – une souris ; 2. une toux ; 3. la tribu ; 4. la glu.

3 1. un parapluie ; 2. un Pygmée ; 3. un sosie ; 4. un musée.

31. Le pluriel des noms

1 1. enfants ; histoires ; 2. Indiens ; montagnes ; 3. draps ; oreillers.

2 1. feux ; 2. noyaux ; 3. bateaux ; 4. hiboux.

3 1. généraux ; amiraux ; 2. chevaux ; animaux ; 3. hôpitaux ;
4. végétaux.

4 des crabes ; les rochers ; aux genoux ; les eaux ; des algues ;
les châteaux ; des enfants ; les jeux.

32. Verbe ou nom ?

1 1. Je me réveille ; du réveil ; 2. Elle travaille ; le travail ; 3. Je te
conseille ; mon conseil ; 4. Jules décore ; ce décor ; 5. Le guide du
musée accueille ; Quel accueil.

2

Verbes	Noms
Le menuisier **cloue** une planche.	un **clou** de charpentier
L'avion **vole** au-dessus des nuages.	un **vol** de perdrix
	une **vis** de 7 cm de long
Il **visse** une ampoule électrique.	
Le naufragé **appelle** au secours.	un **appel** téléphonique

3 1. Le cri du corbeau. Ce haut-parleur crie des annonces ; 2. J'ai
le sommeil léger. Le chat sommeille sur le tapis ; 3. Le pivert a percé
un trou. Martin troue son masque.

33. *a/à – ou/où*

1a 1. Jules a tellement faim ! 2. Il a aussi très soif ! 3. Chloé a un sac
de bonbons. 4. Elle a envie de tout manger.

1b 1. Mon père a offert un joli bouquet de fleurs à ma mère.

2. Nathan a encore enfilé son pull à l'envers. Il l'a remis à l'endroit !

3. Il fait trente degrés à l'ombre. Papi a raison, restons à la piscine.

4. Au bord de la mer, Jérémy a du mal à nager sous l'eau. Il a peur
des vagues.

2a 1. J'irai au match avec Paul ou Michel. 2. Max prend un gâteau
ou une pêche. 3. Voulez-vous du vin ou de l'eau ? 4. Nous jouons aux
dés ou aux dames ?

2b 1. Où allez-vous ce soir, au théâtre ou au cinéma ? Au cinéma,
où passe un film sur l'espace.

2. Où préfères-tu nager, à la mer ou dans une piscine ? À la mer, où
il y a de grosses vagues.

3. Le hérisson va dans le buisson où il se cache. Il mange des insectes
ou des vers de terre.

4. Où faites-vous vos commissions, à l'épicerie ou au supermarché ?
Où j'ai envie !

34. *et/est – son/sont*

1a 1. Mon frère est malade ! 2. Sa peau est couverte de boutons.
3. Son front est chaud. 4. Sa fièvre est élevée.

1b 1. Il est tard. La nuit est tombée depuis longtemps. Mon frère et
ma sœur sont déjà couchés.

2. Bébé pleure et crie. Il est vraiment très fatigué. Maman est partie
le coucher.

3. Quelle heure est-il ? La lampe est restée allumée et la télévision
aussi.

4. Mes amis et moi jouons au foot. Celui qui fait l'arbitre est mon
cousin.

2a 1. son portable ; 2. son cousin ; 3. son dessin ; 4. son short.

2b 1. Mamie est venue avec son chien. Tous les enfants sont contents
de jouer avec lui.

2. Nolan porte son sac sur le dos. Ses vêtements sont roulés en boule
à l'intérieur.

3. Liam a écrit son nom sur tous ses cahiers. Ses livres sont bien
couverts.

35. *on – on n' – ont*

1a 1. Ils ont froid dans cette chambre sans chauffage.
2. Mes sœurs ont peur du noir.

1b 1. Ses trois chiens ont des puces. 2. Assis devant leur gamelle, les
chiens ont faim. 3. Les chiens de traîneau ont une grande résistance.

2a 1. On raconte que les loups sont de retour. 2. Sais-tu ce qu'on
mange ce soir ? 3. On ne connaît pas la fin de l'histoire.

2b 1. On n'ouvre pas la porte avec le pied. 2. On n'a pas oublié notre
serviette de plage. 3. On n'ira pas à la piscine mercredi.

3 1. Les enfants ont construit une cabane ; 2. Qu'est-ce qu'on
s'amuse bien ; 3. On n'a pas envie ; 4. Quand on est tous ensemble,
on n'a plus peur de rien.

36. *ces/ses – c'est/s'est*

1 1. ces ; 2. ses ; 3. Ces.

2 1. Il s'est levé de bonne heure. 2. Elle s'est lavée hier soir.

3 1. C'est mon voisin. 2. C'est lui qui garde mon chien.

4 1. s'est ; 2. c'est ; 3. C'est – s'est.

5 1. s'est ; 2. c'est ; 3. ses ; 4. Ces.

37. Les mots invariables

1 1. Les chats attrapent **souvent** des mulots.

2. Les chattes défendent **très** bien leurs petits, les chats **aussi**.

3. Les petits chats dorment **dans** des paniers.

4. **Comment** s'appellent les petits chats ?

Mots invariables : souvent ; très ; bien ; aussi ; dans ; comment.

2 1. **Pourquoi** cries-tu **si** fort **pour** m'appeler ?

2. Nous t'attendons **depuis** une heure. Tu ne changeras **jamais** !

3. **Hier** nous sommes allés au concert. Nous avons attendu **longtemps** avant d'entrer.

4. **Aujourd'hui** je ne peux pas venir. Je te téléphonerai **demain**.

3 À corriger avec un adulte.

C O N J U G A I S O N

38. Le verbe : radical et terminaison

1a 1. (décoll)era ; 2. (décoll)aient ; 3. (décoll)ent.

1b 1. (mang)ions ; 2. (ressembl)e ; 3. (accompagn)era ; 4. (chois)is.

2

Venir (tu)	viens	venais	viendras	plusieurs	irrégulier
Passer (Je)	passe	passais	passerai	un	régulier
Vouloir (elle)	veut	voulait	voudra	plusieurs	irrégulier
Chanter (vous)	chantez	chantiez	chanterez	un	régulier

3 conn/ut – aid/ait – all/ait – ven/ait – étal/ait – sèch/e – écout/ait.

39. L'infinitif et le classement des verbes

1a 1. commencer ; 2. terminer ; 3. oublier ; 4. danser.

1b découvrir ; glisser ; apparaître ; atterrir ; entourer ; vouloir ; venir.

2

verbes en -er	verbes en -dre	verbes en -oir	verbes en -ir
goûter	prendre	devoir	partir
grignoter	comprendre	voir	dormir
jardiner	reprendre	pouvoir	venir

40. Le présent (1)

1a 1. nous aimons ; 2. Elle freine ; 3. Ses roues dérapent ; 4. Nous nous amusons.

1b 1. Vous préparez ; 2. Nous épluchons ; 3. Ils découpent.

2a 1. Le vieux lion rugit ; 2. Vous pâlissez ; 3. Nous frémissons ; 4. Les lionceaux obéissent.

2b 1. Tu rougis ; 2. Je blanchis ; 3. L'arbre reverdit ; 4. La tomate rougit et le bouton d'or jaunit.

41. Le présent (2)

1 1. Ahmed **est** souffrant, il **a** très mal aux dents.

2. Mes cousins **sont** fans de musique pop, ils **ont** plus de cent disques.

3. Nous **avons** une piscine. Nous **sommes** heureux d'en profiter l'été.

4. **As**-tu ton nouveau vélo ? **Est**-il à ta taille ? **Es**-tu satisfait ?

5. Vous **êtes** très aimables, vous **avez** l'air sympathique.

2a 1. Comment vas-tu ? Comment allez-vous ? 2. Je vais très bien. Nous allons très bien. 3. Elle va au cinéma. Elles vont au cinéma.

2b 1. Que fais-tu ? Que faites-vous ? 2. Je fais un voyage. Nous faisons un voyage. 3. Il fait du ski. Nous faisons du ski.

3 « Qui **es**-tu ? Quel âge **as**-tu ? Où **vas**-tu ? demande le vieil homme à la barbe pointue.

– Vous **êtes** bien curieux ! Je **suis** Zardok. J'**ai** douze ans. Je **vais** de planète en planète découvrir l'univers. Et vous, que **faites**-vous ici ? répondit le jeune garçon en combinaison spatiale.

– Je **suis** découvreur de nouveaux mondes. Nous **faisons** un peu le même métier. »

42. Le présent (3)

1 1. devons ; 2. voient ; 3. doivent ; 4. voyez.

2 1. apprenons ; 2. prenez ; 3. comprend ; 4. surprennent.

3 1. Je peux ; 2. Veux-tu ; 3. Je peux.

4 1. Dites-vous parfois des mensonges ?

2. Vous dites toujours la même chose.

43. Le futur (1)

1 1. Nous irons ; 2. Tu crieras ; 3. Elle expédiera ; 4. Tu souhaiteras ; 5. Je mangerai ; 6. Ils remueront.

2a 1. tu auras ; vous aurez ; 2. je serai ; nous serons ; 3. Elle aura ; elles auront ; 4. il sera ; ils seront.

2b 1. Nous irons ; j'irai ; 2. Elles iront ; elle ira ; 3. Vous ferez ; tu feras ; 4. Ils feront ; il fera.

44. Le futur (2)

1 1. Nous dirons ; 2. Tu apprendras ; 3. Nous prendrons ; 4. Je dirai ; 5. Vous prendrez.

2 1. ils ne nous verront pas ; 2. je reverrai ; 3. vous ne verrez rien ; 4. les soldats devront obéir ; 4. nous devrons partir.

3 1. tu pourras ; vous pourrez ; 2. je pourrai ; nous pourrons ; 3. voudras-tu ; voudrez-vous ; 4. voudra-t-elle ; voudront-elles ; 5. Il ne pourra ; ils ne pourront pas.

45. L'imparfait (1)

1 1. j'accompagnais ; 2. elle le ramassait ; 3. nous nous désaltérions ; 4. nous chantions.

© Cahier du Jour / Cahier du Soir – Français CM2

2a 1. était ; avait ; 2. étiez ; aviez ; 3. étaient ; avaient ; 4. avions ; étions.

2b 1. allais ; alliez ; 2. allais ; allions ; 3. allait ; allaient.

2c 1. faisais ; faisiez ; 2. faisais ; faisions ; 3. faisait ; faisaient.

46. L'imparfait (2)

1 prenait ; disait ; disions ; j'apprenais ; prenaient ; disaient.

2 1. voyait ; 2. revoyais ; 3. voyiez ; 4. devaient.

3 1. pouvais ; pouviez ; 2. pouvais ; pouvions ; 3. voulais ; voulions ; 4. voulait ; voulaient.

47. Des terminaisons régulières (1)

1a 1. danses ; as ; 2. vois ; prends ; 3. veux ; peux.

1b 1. étais ; seras ; 2. disais ; diras ; 3. gagnais ; gagneras.

2a 1. Devez-vous ; 2. Avez-vous ; 3. Jouez-vous.

2b 1. gardiez ; garderez ; 2. deviez ; devrez ; 3. preniez ; prendrez.

48. Des terminaisons régulières (2)

1a 1. Nous dessinons, nous découpons et nous collons.

2. Nous prenons ; nous descendons.

3. Nous avons ; nous ne sommes jamais.

1b 1. fermions ; fermerons ; 2. avions ; aurons ; 3. pouvions ; pourrons.

2 1. Font-ils ; 2. Vont-elles ; 3. Aiment-ils.

3 1. passaient ; passeront ; 2. voyaient ; verront.

49. Le passé simple

1 1. Les chasseurs se lancèrent ; 2. les chevaux se cabrèrent ;

3. Leurs cavaliers les calmèrent ;

4. Les bisons allèrent boire à la rivière.

2 1. rugit ; 2. obéirent ; 3. frémirent ; 4. établirent.

3 1. fut ; 2. furent ; 3. eut ; 4. eurent ; 5. fit ; 6. firent ; 7. dit ; 8. dirent ; 9. vit ; 10. virent ; 11. voulut ; 12. voulurent.

50. Le passé composé

1a 1. Il a réussi. 3. Vous avez éternué. 5. Je suis descendue. 6. Tu as rêvé. 7. Nous avons rempli. 9. Elles sont sorties.

1b 1. Mon frère est allé au cinéma. 2. Le western a duré une heure trente. 3. Il a opposé les cow-boys et les Indiens.

1c 1. Les avions ont atterri ; 2. Le bulldozer a agrandi ; 3. Des projecteurs ont fourni ; 4. L'hélicoptère est parti.

2 1. Pauline a eu très peur des lions. 2. Et toi, en as-tu eu peur ? 3. Les clowns ont eu du succès. 4. Ce clown a été très drôle.

51. Les homonymes

1 1. laid ; 2. poids ; 3. aire.

2 1. foi – foie – fois ; 2. compte – conte – comte ; 3. chair – chère ; 4. moi – mois ; met – mai – mais ; 5. l'encre – l'ancre.

3 1. mer ; 2. seau ; 3. sauts ; 4. mère ; 5. maire ; 6. port ; 7. porc.

52. Les différents sens d'un mot

1a 1. un morceau de métal servant de monnaie
2. mettre de l'autre côté
3. bâton mince plus ou moins long
4. une intervention

1b 1. pile ; 2. pieds ; 3. galerie.

2a 1. face ; 2. décoller ; 3. bouchon ; 4. monter ; 5. note.

2b 1. une carte : petit carton portant des figures et servant à jouer ; liste des plats dans un restaurant ; représentation géographique. 2. une place : espace occupé par quelqu'un ; espace découvert dans une ville ; rang obtenu dans un classement.

53. Les mots de la même famille

1a 1. dessin : dessiner ; dessinateur ; dessinatrice.

2. dent : dentiste ; dentition ; édenté.

3. doux : douce ; douceur ; adoucir.

1b 1. chantier ; 2. plantation ; 3. portuaire.

2 1. tour ; 2. grand ; 3. saut.

3a 1. gonfler ; 2. transporter ; 3. réchauffer ; 4. construire.

3b 1. la gourmandise ; 2. la lenteur ; 3. la hauteur ; 4. la solidité.

54. Les synonymes

1a 1. match : épreuve, rencontre, compétition, championnat.

2. bonbon : friandise, sucrerie, confiserie.

3. déchets : détritus, ordures, immondices, résidus.

1b 1. ajouter ; 2. chasseur ; 3. magicien.

2 1. tiède ; chaud ; brûlant ; 2. grand ; immense ; gigantesque ; 3. orage ; tempête ; typhon.

3 1. écrire ; 2. créer ; 3. mesurer ; 4. exercer ; pratiquer.

55. Le champ lexical

1a 1. les métiers ; 2. les mois ; 3. les sentiments.

1b 1. cinéma : film, acteur, tournage, affiche ; 2. musique : musicien, concert, piano, orchestre ; 3. ordinateur : souris, écran, Internet, taper.

2 1. géométrie : équerre, perpendiculaire, tracer

Corrigés détachables

2. bateaux : cargo, échoué, naviguer.

3. football : but, perdu, passer.

4. Noël : guirlandes, bougies, houx, décorer.

❸ 1. médecin ; auscultation ; médecine ; 2. peigner ; coiffure ; chevelure.

56 Les contraires

①ₐ 1. molles ; 2. lent ; 3. humide.

①ᵦ 1. finit ; 2. ralentis ; 3. monte.

❷ 1. détester ; échec ; 2. gagné ; 3. monte ; victoire.

❸ 1. désagréable ; 2. imprudent ; 3. maladroit.

57. Le sens propre, le sens figuré

❶ 1. La hyène affamée **dévore** sa proie.

2. Les chaussures de mon cousin lui font mal aux **pieds**. Il a aussi une **dent** cariée.

3. La bûche **brûle** dans la cheminée.

❷ 1. renard ; 2. singe ; 3. ours ; 4. pigeon.

❸ 1. sens propre ; 2. sens figuré ; 3. sens figuré ; 4. sens propre ; 5. sens figuré.

58. Les préfixes

❶ 1. para ; 2. anti ; 3. dé ; 4. re .

❷ 1. mécontente ; 2. incapable ; 3. invisible ; 4. défait ; 5. imbattable.

❸ 1. quatre ; 2. un ; 3. trois ; 4. deux ; 5. six.

59. Les suffixes

❶ 1. eau ; 2. ier ; 3. age .

❷ₐ 1. violoniste ; 2. fleuriste ; 3. pompiste ; 4. dentiste.

❷ᵦ 1. habitable ; 2. jetables ; lavables ; 3. admirable.

❷꜀ 1. blanchâtre ; 2. verdâtres ; 3. bleuâtre ; 4. jaunâtre.

60. Le dictionnaire

❶ₐ 1. landau ; 2. panneau ; interdiction ; stationner ; 3. précipitez ; chaussée ; 4. poing ; autorisés ; rugby.

❶ᵦ 1. ausculté ; 2. stéthoscope ; 3. pouls ; 4. éclipse ; 5. tranquilliser ; 6. ophtalmologiste.

❷ 1. n.m. → nom masculin ; 2. v. → verbe ; 3. n.f. → nom féminin ; 4. adj. → adjectif ; 5. n.m. → nom masculin.

30 Les noms terminés par un e muet

Je découvre et je retiens

1 Ma tort<u>ue</u> aime la pl<u>uie</u> et la lait<u>ue</u>. Elle avale une poign<u>ée</u> de gravier pour renforcer sa carapace.

▶ La plupart des noms féminins se terminent par un **-e muet** après les voyelles *i*, *u* et *é*.

2 Je collectionne les images d'animaux, j'ai déjà la brebi<u>s</u>, la fourm<u>i</u> et la perdr<u>ix</u>.

▶ Quelques exceptions : *une **brebis**, une **fourmi**, une **souris**, une **perdrix**, la **nuit**, une **tribu**, la **vertu**, une **toux**, de la **glu**.*

3 J'espère trouver celle du scarab<u>ée</u>.

▶ Quelques noms masculins se terminent par un **-e muet** : *un **musée**, un **scarabée**, un **sosie**, un **lycée**, un **parapluie**, un **génie**, un **Pygmée**, un **incendie**, le **foie**...*

Je m'entraîne

1a **Écris les noms féminins de la famille des verbes indiqués.**

1. sonner : la _____ de mon téléphone

2. voir : la _____ est l'un des cinq sens.

3. rentrer : la _____ des classes

4. geler : la _____ de groseille

5. tricher : la _____ est une tromperie.

6. étendre : une grande _____ d'eau

1b **Écris le nom de la boutique correspondant à chaque métier.**

1. le pharmacien : la _____

2. la boulangère : la _____

3. le charcutier : la _____

4. la libraire : la _____

5. le teinturier : la _____

6. la mercière : la _____

2 **Complète les noms comme il convient.**

1. La nui_____, il n'est pas facile de repérer une sour_____.

2. Depuis deux jours, mon frère a une tou_____ inquiétante, mes parents vont appeler le médecin.

3. Le grand chef sioux a réuni toute la trib_____ pour la fête du Grand Bison.

4. Collant comme de la gl_____ !

3 **Trouve le nom masculin qui correspond à chaque définition.**

1. Permet de se protéger de la pluie : un _____

2. Homme appartenant à un peuple de petite taille de la forêt équatoriale africaine : un _____

3. Personne qui ressemble parfaitement à une autre : un _____

4. Lieu public rassemblant des collections d'objets d'un intérêt artistique : un _____

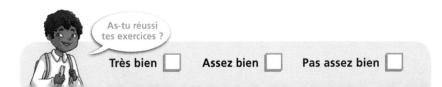

As-tu réussi tes exercices ?

Très bien ☐   Assez bien ☐   Pas assez bien ☐

31 Le pluriel des noms

❶ À son anniversaire, Sarah a invité ses copain**s** d'école, ses cousine**s** et deux voisine**s**.

▶ Le **pluriel des noms** se fait généralement en ajoutant un **-s** au nom singulier.

❷ Quelle fête ! Des jeu**x**, des gâteau**x** et même des petits bijou**x** comme cadeau**x** ! Tout le monde souffle dans des petits tuyau**x**, des mirlitons, pour faire de la musique.

▶ Le **pluriel des noms** terminés par **-eu**, **-au** ou **-eau** au singulier se fait en ajoutant un **-x**.
Sept noms terminés par **-ou** prennent un **-x** au pluriel au lieu d'un **-s** : *des bijoux, des cailloux, des choux, des genoux, des hiboux, des joujoux, des poux.*

❸ « Tu vas avoir ta photo dans le journal et même dans plusieurs journ**aux** », lui dit Léa pour rigoler.

▶ La plupart des noms terminés par **-al** au singulier font leur pluriel en **-aux**.

Je m'entraîne

❶ Dans chaque phrase, souligne les noms au pluriel et entoure le s.

1. Les enfants aiment inventer des histoires avec un héros.

2. Les Indiens partent chasser l'ours dans les montagnes.

3. Juliette met les draps et les oreillers à laver puis brosse le matelas.

❷ Écris au pluriel les noms entre parenthèses.

1. En montagne, par temps chaud et sec, les pompiers craignent les (feu) _____ .

2. Quand on mange des cerises, il faut cracher les (noyau)_____ .

3. En vacances, j'aime bien naviguer sur des (bateau) _____ .

4. Jade voudrait se promener la nuit pour observer des (hibou) _____ .

❸ Complète les phrases en écrivant au pluriel les noms entre parenthèses.

1. Les _____ et les _____ sont des militaires haut gradés. (général – amiral)

2. Les _____ sont des _____ d'une grande intelligence. (cheval – animal)

3. Ce pédiatre soigne les enfants dans les _____ de son département. (hôpital)

4. Les poissons se cachent dans les _____ de la mer. (végétal)

❹ Écris les terminaisons qui conviennent.

1. Alice recherche des crabe_____ sous les rocher_____ . 2. Elle a de l'eau jusqu'aux genou_____ . 3. Avec la marée, les eau_____ remontent, entraînant des algue_____ avec elles et détruisant les château_____ de sable des enfant_____ . 4. De retour sur la plage, parmi les jeu_____ , Alice choisit le toboggan.

32 Verbe ou nom ?

Je découvre et je retiens

Je **calcule** très vite de tête. Je préfère le calcul au français.
Je **calculerai** très vite de tête. Je préfèrerai le calcul au français.
<small>Verbe</small>   <small>Nom</small>

Le verbe **calcule** *et le nom* calcul *se prononcent de la même façon mais n'ont pas la même orthographe.*

▶ Il ne faut pas confondre le **verbe** et le **nom** d'une même famille.

Le verbe peut se conjuguer (*je calculerai*). Le nom est précédé d'un déterminant (*le*).

Je m'entraîne

1 **Écris la terminaison du verbe puis écris correctement le nom** de la même famille.

1. Je me rév_____ avec difficulté. La sonnerie du rév_____ est bruyante.

2. Elle trav_____ très bien. Il n'a aucun goût pour le trav_____.

3. Je te cons_____ de ne pas mentir. Tu devrais suivre mon cons_____.

4. Jules déco_____ le sapin de Noël. Ce déco_____ de théâtre est très réussi.

5. Le guide du musée accuei_____ ses visiteurs. Quel accuei_____ sympathique !

2 **Écris les mots où il convient :** *vis – clou – vole – visse – appelle – vol – appel – cloue.*

Verbes	Noms
Le menuisier _____ une planche.	un _____ de charpentier
L'avion _____ au-dessus des nuages.	un _____ de perdrix
Il _____ une ampoule électrique.	une _____ de 7 cm de long
Le naufragé _____ au secours.	un _____ téléphonique

3 **Écris les mots qui conviennent.**

1. Mots de la famille de **cri** → Le _____ du corbeau est affreux. Ce haut-parleur _____ des annonces publicitaires dans toute la foire.

2. Mots de la famille de **sommeil** → J'ai le _____ léger. Le chat _____ sur le tapis.

3. Mots de la famille de **trou** → Le pivert a percé un _____ dans le tronc de l'arbre. Martin _____ son masque pour former les yeux et le nez.

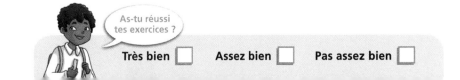

As-tu réussi tes exercices ?

Très bien ☐   Assez bien ☐   Pas assez bien ☐

33 a/à – ou/où

1 Pierre **a** toujours faim. Il est toujours le premier à table.

▶ **a**, sans accent, est le verbe **avoir**. Il peut se conjuguer à l'imparfait (*avait*).

à, avec un accent grave, est un **mot de liaison** invariable.

2 **Où** manges-tu à midi ? À la cantine **ou** chez toi ?

▶ **où**, avec un accent grave, indique le plus souvent **un endroit**.

ou est un **mot de liaison** invariable qui indique un choix. On peut le remplacer par *ou bien*.

Je m'entraîne

1a **Écris les phrases au présent.**

1. Jules avait tellement faim ! → _____

2. Il avait aussi très soif ! → _____

3. Chloé avait un sac de bonbons. → _____

4. Elle avait envie de tout manger. → _____

1b **Complète les phrases avec *a* ou *à*.**

1. Mon père _____ offert un joli bouquet de fleurs _____ ma mère.

2. Nathan _____ encore enfilé son pull _____ l'envers. Il l'_____ remis à l'endroit !

3. Il fait trente degrés _____ l'ombre. Papi _____ raison, restons _____ la piscine.

4. Au bord de la mer, Jérémy _____ du mal _____ nager sous l'eau. Il _____ peur des vagues.

2a **Récris les phrases en remplaçant *et* par *ou*.**

1. J'irai au match avec Paul et Michel. → _____

2. Max prend un gâteau et une pêche. → _____

3. Voulez-vous du vin et de l'eau ? → _____

4. Nous jouons aux dés et aux dames ? → _____

2b **Complète les phrases avec *ou* ou bien *où*.**

1. _____ allez-vous ce soir, au théâtre _____ au cinéma ? Au cinéma, _____ passe un film sur l'espace.

2. _____ préfères-tu nager, à la mer _____ dans une piscine ? À la mer, _____ il y a de grosses vagues.

3. Le hérisson va dans le buisson _____ il se cache. Il mange des insectes _____ des vers de terre.

4. _____ faites-vous vos commissions, à l'épicerie _____ au supermarché ? _____ j'ai envie !

As-tu réussi tes exercices ?

Très bien ☐   Assez bien ☐   Pas assez bien ☐

34 et/est – son/sont

Je découvre et je retiens

1 La Lune **est** l'unique satellite de la Terre. Mars **et** la Terre font partie des planètes du système solaire.

▶ **est** est le verbe **être**. Il peut se conjuguer à l'imparfait (*était*).

et est un **mot de liaison** invariable. On peut le remplacer par **et puis** ou **et aussi**.

2 Des étoiles filantes **sont** passées dans le ciel. Inès observe les astres avec **son** télescope.

▶ **sont** est le verbe **être**. Il peut se conjuguer à l'imparfait (*étaient*).

son est un **déterminant**. Il est placé devant le nom et indique la possession. On peut le remplacer par **mon**.

Je m'entraîne

1a **Écris les phrases au présent.**

1. Mon frère était malade ! → _____

2. Sa peau était couverte de boutons. → _____

3. Son front était chaud. → _____

4. Sa fièvre était élevée. → _____

1b **Complète les phrases avec *et* ou *est*.**

1. Il _____ tard. La nuit _____ tombée depuis longtemps. Mon frère _____ ma sœur sont déjà couchés.

2. Bébé pleure _____ crie. Il _____ vraiment très fatigué. Maman _____ partie le coucher.

3. Quelle heure _____ -il ? La lampe _____ restée allumée _____ la télévision aussi.

4. Mes amis _____ moi jouons au foot. Celui qui fait l'arbitre _____ mon cousin.

2a **Récris les phrases avec le mot entre parenthèses.**

1. Kenzo a perdu sa clé. (portable) → _____

2. C'était la fête de sa cousine. (cousin) → _____

3. A-t-elle terminé sa peinture ? (dessin) → _____

4. C'est sa jupe d'été. (short) → _____

2b **Complète les phrases avec *son* ou *sont*.**

1. Mamie est venue avec _____ chien. Tous les enfants _____ contents de jouer avec lui.

2. Nolan porte _____ sac sur le dos. Ses vêtements _____ roulés en boule à l'intérieur.

3. Liam a écrit _____ nom sur tous ses cahiers. Ses livres _____ bien couverts.

As-tu réussi tes exercices ?

Très bien ☐   Assez bien ☐   Pas assez bien ☐

35 on – on n' – ont

Je découvre et je retiens

1 Marie et Léa **ont** un nouveau baladeur. Léa **a** un baladeur. Elles **avaient** un vieux baladeur.

▶ **Ont** est le verbe *avoir* à la 3e personne du pluriel. Au singulier, **ont** devient *a*. On peut le remplacer par *avaient*.

2 Quand **on** met le son trop fort, **on n'**entend plus très bien la musique.

▶ **On** est un pronom personnel sujet singulier. On peut le remplacer par *il*.
On utilise **on n'** quand le verbe est à la forme négative (*ne… pas ; n'… pas ; ne… plus ; n'… plus*).

Je m'entraîne

1a Mets les mots soulignés au pluriel.

1. Il a froid dans cette chambre sans chauffage. → _____

2. Ma sœur a peur du noir. → _____

1b Écris les phrases au présent.

1. Ses trois chiens avaient des puces. → _____

2. Assis devant leur gamelle, les chiens avaient faim. → _____

3. Les chiens de traîneau avaient une grande résistance. → _____

2a Remplace le pronom souligné par *on*.

1. Il raconte que les loups sont de retour. → _____

2. Sais-tu ce qu'il mange ce soir ? → _____

3. Il ne connaît pas la fin de l'histoire. → _____

2b Transforme les phrases à la forme négative.

1. On ouvre la porte avec le pied. → _____

2. On a oublié notre serviette de plage. → _____

3. On ira à la piscine mercredi. → _____

3 Complète par *on, on n'* ou *ont*.

1. Les enfants _____ construit une cabane dans les arbres. **2.** Qu'est-ce qu'_____ s'amuse bien dedans ! **3.** _____ a pas envie de l'abandonner à une bande rivale. **4.** Quand _____ est tous ensemble, _____ a plus peur de rien.

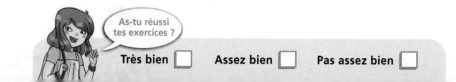

As-tu réussi tes exercices ?

Très bien ☐   Assez bien ☐   Pas assez bien ☐

36 · ces – ses – c'est – s'est

Je découvre et je retiens

1 Sacha et <u>ses</u> amis ont assisté à une course automobile. <u>Ces</u> bolides sont impressionnants.

▶ **Ses** est le déterminant pluriel de **sa** ou **son** ; **ces** est le déterminant pluriel de **ce, cet** ou **cette**.

2 La course <u>s'est</u> terminée à dix-huit heures.

▶ **S'est** est toujours suivi d'un participe passé. Le sujet du verbe **être** est à la 3e personne du singulier.

3 **C'est** <u>Maël</u> qui a gagné la course. **C'est** <u>lui</u> le meilleur pilote. Pour lui, **c'est** <u>réussi</u>.
    Nom   Pronom   Adjectif

▶ **C'est** signifie **cela est** ; il est suivi d'un nom (ou d'un groupe nominal), d'un pronom ou d'un adjectif.

Je m'entraîne

1 **Complète les phrases avec *ces* ou *ses*.**

1. Regarde _____ magnifiques pivoines.

2. Inès adore les roses et les tulipes, ce sont _____ fleurs préférées.

3. _____ raisins ne sont pas encore mûrs.

2 **Mets les phrases au singulier.**

1. Ils se sont levés de bonne heure.

_____

2. Elles se sont lavées hier soir.

3 **Mets les phrases au singulier.**

1. Ce sont mes voisins.

_____

2. Ce sont eux qui gardent mon chien.

4 **Écris *s'est* ou *c'est*.**

1. Il _____ peint le nez en rouge.

2. Il fait tout le temps des grimaces, _____ un vrai clown.

3. _____ son cheval qui _____ cabré.

5 **Complète avec *ces*, *ses*, *c'est* ou *s'est*.**

1. Mon frère Idris _____ inscrit à la bibliothèque municipale.

2. En classe, _____ la lecture qu'il préfère.

3. Idris compte _____ livres, il en possède trente-sept.

4. _____ CD, sur le présentoir, sont les derniers parus.

As-tu réussi tes exercices ?

Très bien ☐   Assez bien ☐   Pas assez bien ☐

37 Les mots invariables

Je découvre et je retiens

Maintenant, mon chien est dressé, il m'obéit **mieux**.
Maintenant, mes chiens sont dressés, ils m'obéissent **mieux**.
Dans ces deux phrases, les verbes, les déterminants, les noms s'accordent.
Les mots **maintenant** *et* **mieux** *ne s'accordent pas.*

► Les mots qui ne s'accordent pas sont des **mots invariables**.
Il faut connaître leur orthographe par cœur ou la vérifier dans le dictionnaire : *après, assez, bientôt, chez, combien, comme, enfin, ici, loin, rien, trop, etc.*

Je m'entraîne

1 **Écris les phrases au pluriel puis fais la liste des mots invariables trouvés.**

1. Le chat attrape souvent un mulot.

→ _____

2. La chatte défend très bien son petit, le chat aussi.

→ _____

3. Le petit chat dort dans un panier.

→ _____

4. Comment s'appelle le petit chat ?

→ _____

Mots invariables : _____

2 **Complète les phrases avec les mots invariables :** *depuis – pourquoi – pour – jamais – si – longtemps – hier – aujourd'hui – demain.*

1. _____ cries-tu _____ fort _____ m'appeler ?

2. Nous t'attendons _____ une heure. Tu ne changeras _____ !

3. _____ nous sommes allés au concert. Nous avons attendu _____ avant d'entrer.

4. _____ je ne peux pas venir. Je te téléphonerai _____ .

3 **Apprends par cœur les listes de mots, puis écris-les une par une sur une feuille, sans regarder ton cahier.**

1. alors – autant – beaucoup – dehors – derrière.

2. encore – ensuite – là-bas – parce que – peut-être.

3. soudain – surtout – toujours – voici – voilà.

As-tu réussi tes exercices ?

Très bien ☐   Assez bien ☐   Pas assez bien ☐

38 Le verbe : radical et terminaison

1 L'an passé, Noé **gliss**ait sur la neige. L'an prochain, il **gliss**era sur la glace. Le marcheur **gliss**e sur une peau de banane.

▶ Le verbe *glisser* n'a qu'un seul radical : *gliss-*. Les verbes qui n'ont qu'**un seul radical** sont des **verbes réguliers**.

2 Alex **boi**t trop de café. Enfant, il **buv**ait du chocolat au lait. Il faut qu'il **boiv**e deux litres d'eau par jour.

▶ Le verbe *boire* possède plusieurs radicaux : *boi-*, *buv-*, *boiv-*. Les verbes qui possèdent **plusieurs radicaux** sont des **verbes irréguliers**.

Je m'entraîne

1a **Dans chaque phrase, trouve le verbe et entoure le radical.**

1. Notre avion décollera dans un quart d'heure.

2. En période de grandes vacances, les avions décollaient toutes les cinq minutes.

3. Sur la piste du porte-avions, les avions décollent très rapidement.

1b **Entoure le radical et souligne la terminaison de chaque verbe.**

1. Nous mangions à la cantine du collège.

2. À qui ressemble ce joli bébé ?

3. Ta sœur t'accompagnera au zoo.

4. Je choisis le chemin le plus court.

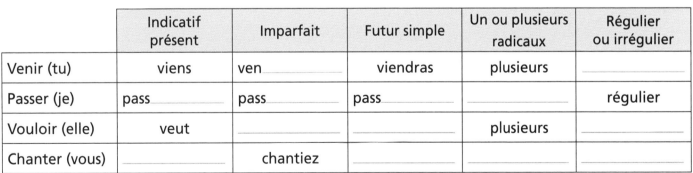

2 **Complète le tableau.**

	Indicatif présent	Imparfait	Futur simple	Un ou plusieurs radicaux	Régulier ou irrégulier
Venir (tu)	viens	ven_____	viendras	plusieurs	_____
Passer (je)	pass_____	pass_____	pass_____	_____	régulier
Vouloir (elle)	veut	_____	_____	plusieurs	_____
Chanter (vous)	_____	chantiez	_____	_____	_____

3 **Dans ce texte, sépare d'un trait le radical et la terminaison de chaque verbe.**

Olivier connut tous les charmes des foins. Il n'aidait guère. Simplement, fourche ou râteau en main, il allait et venait, étalait l'herbe odorante pour qu'elle sèche mieux. Il écoutait le bruit de la pierre aiguisant la faux.

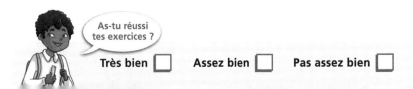

As-tu réussi tes exercices ?

Très bien ☐   Assez bien ☐   Pas assez bien ☐

39 L'infinitif et le classement des verbes

Je découvre et je retiens

1 Tu peux **choisir**, **cueillir** et **croquer** une pomme.

▶ Quand il n'est pas conjugué, un verbe est à l'**infinitif**.

2 La pomme **tombe** et **heurte** le sol. Nous en **ramassons** pour faire du jus de pommes.
tomber   heurter   ramasser

Si l'on **veut** faire un bon jus de pomme, on **doit** bien les choisir. On **peut** aussi les cueillir.
vouloir   devoir   pouvoir

▶ On classe les verbes selon leur **infinitif**, par exemple les verbes en **-er** comme *tomber*, les verbes en **-oir** comme *vouloir*.

Je m'entraîne

1a **Transforme les phrases de façon à mettre le verbe à l'infinitif.**

1. Je commencerai mes devoirs. → Je vais _____ mes devoirs.

2. Tu termineras tes devoirs. → Tu vas _____ tes devoirs.

3. Il oubliera ses devoirs. → Il va _____ ses devoirs.

4. Nous danserons le dimanche. → Nous allons _____ le dimanche.

1b **Dans le texte, indique l'infinitif de chaque verbe souligné.**

En avion au-dessus de l'Alaska

Par les hublots de l'avion on <u>découvre</u> (1. _____) jusqu'à l'infini une vertigineuse étendue. Ce mystérieux paysage <u>glisse</u> (2. _____) sous les ailes sans qu'<u>apparaisse</u> (3. _____) la moindre trace de village. Dans quelques minutes, nous <u>atterrirons</u> (4. _____). La population tout entière, trente personnes, s'approche de l'avion et <u>entoure</u> (5. _____) le pilote. « Comment le voyage s'est-il passé ? <u>Voulez</u> (6. _____) -vous déjeuner ? <u>Venez</u> (7. _____) il fait froid. »

2 **Classe l'infinitif des verbes dans le tableau :** *nous prenons – je goûterai – elles doivent – vous comprendrez – tu grignotais – ils reprennent – je verrai – tu pouvais – je partirai – tu venais – il dort – elle jardine.*

verbes en -er	verbes en -dre	verbes en -oir	verbes en -ir

As-tu réussi tes exercices ?

Très bien ☐   Assez bien ☐   Pas assez bien ☐

40 Le présent (1)

Je découvre et je retiens

1 Toute la famille fait partie d'une chorale. Je chant**e**, mes frères chant**ent**, mon père chant**e**. Nous chant**ons** souvent pour les fêtes.

▶ Au présent, les **verbes en -er**, comme *chanter*, ont pour terminaisons : **-e, -es, -e, -ons, -ez, -ent**.

2 Je roug**is** quand il y a beaucoup de spectateurs. Mes frères, eux, pâl**issent**. Nous obé**issons** au chef de la chorale.

▶ Les **verbes en -ir**, comme *rougir*, ont pour terminaisons : **-is, -is, -it, -issons, -issez, -issent**.

Je m'entraîne

1a **Écris les verbes au présent.**

1. Ma sœur et moi, nous (aimer) _____ faire du vélo.

2. Elle (freiner) _____ toujours au dernier moment.

3. Ses roues (déraper) _____ dans la poussière.

4. Nous nous (s'amuser) _____ de nos exploits.

1b **Transforme les phrases à la personne correspondante du pluriel.**

1. Tu prépares une salade de fruits. → _____

2. J'épluche les pommes de terre. → _____

3. Il découpe un bifteck. → _____

2a **Écris chaque verbe au présent.**

1. Le vieux lion (rugir) _____ dans la savane.

2. Vous (pâlir) _____ en entendant son rugissement.

3. Nous (frémir) _____ de peur.

4. Les lionceaux (obéir) _____ à leur mère.

2b **Transforme les phrases à la personne correspondante du singulier.**

1. Vous rougissez comme une pivoine. → _____

2. Nous blanchissons le mur du jardin avec de la peinture. → _____

3. Les arbres reverdissent au printemps. → _____

4. Les tomates rougissent et les boutons d'or jaunissent. → _____

As-tu réussi tes exercices ?

Très bien ☐   Assez bien ☐   Pas assez bien ☐

41 Le présent (2)

Je découvre et je retiens

1 Mon cousin a peur du noir, moi, j'ai peur des araignées. Nous sommes un peu peureux.

▶ **Être** : je suis, tu es, il est, nous sommes, vous êtes, ils sont.

▶ **Avoir** : j'ai, tu as, il a, nous avons, vous avez, ils ont.

2 Je vais courir au parc tous les dimanches, avec mes parents. Nous faisons un peu de sport !

▶ **Aller** : je vais, tu vas, il va, nous allons, vous allez, ils vont.

▶ **Faire** : je fais, tu fais, il fait, nous faisons, vous faites, ils font.

Je m'entraîne

1 **Écris au présent les verbes entre parenthèses.**

1. Ahmed (être) _____ souffrant, il (avoir) _____ très mal aux dents.

2. Mes cousins (être) _____ fans de musique pop, ils (avoir) _____ plus de cent disques.

3. Nous (avoir) _____ une piscine. Nous (être) _____ heureux d'en profiter l'été.

4. (avoir) _____-tu ton nouveau vélo ? (être) _____-il à ta taille ? (être) _____-tu satisfait ?

5. Vous (être) _____ très aimables, vous (avoir) _____ l'air sympathique.

2a **Complète chaque phrase avec le verbe** *aller* **au présent puis récris-la au pluriel.**

1. Bonjour, comment _____-tu ? → _____

2. Je _____ très bien, merci. → _____

3. Elle _____ au cinéma chaque samedi. → _____

2b **Complète chaque phrase avec le verbe** *faire* **au présent puis récris-la au pluriel.**

1. Que _____-tu pendant les vacances ? → _____

2. Je _____ souvent un voyage. → _____

3. Il _____ du ski à Noël. → _____

3 **Complète le texte en écrivant au présent les verbes entre parenthèses.**

« Qui (**1.** être) _____-tu ? Quel âge (**2.** avoir) _____-tu ? Où (**3.** aller) _____-tu ? demande le vieil homme à la barbe pointue. – Vous (**4.** être) _____ bien curieux ! Je (**5.** être) _____ Zardok. J'(**6.** avoir) _____ douze ans. Je (**7.** aller) _____ de planète en planète découvrir l'univers. Et vous, que (**8.** faire) _____-vous ici ? répondit le jeune garçon en combinaison spatiale. – Je (**9.** être) _____ découvreur de nouveaux mondes. Nous (**10.** faire) _____ un peu le même métier. »

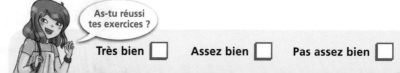

As-tu réussi tes exercices ?

Très bien ☐   Assez bien ☐   Pas assez bien ☐

Je découvre et je retiens

1 Je vois moins bien de l'œil gauche. Je dois peut-être changer de lunettes ?

▶ **Voir** : je vois, tu vois, il voit, nous voyons, vous voyez, ils voient.

▶ **Devoir** : je dois, tu dois, il doit, nous devons, vous devez, ils doivent.

2 Je prends le bus à huit heures. Le prends-tu avec moi ? D'accord, nous le prenons ensemble.

▶ **Prendre** : je prends, tu prends, il prend, nous prenons, vous prenez, ils prennent.

3 Je peux emmener mes rollers ? Oui, si mon père veut bien !

▶ Les verbes comme *pouvoir* et *vouloir* se terminent par *-x* ou *-t* au singulier.

4 Vous dites des choses bizarres.

▶ Attention à la 2ᵉ personne du pluriel du verbe *dire*.

Je m'entraîne

1 **Écris au présent les verbes entre parenthèses.**

1. Nous _____ prendre l'avion pour survoler l'océan. (devoir)

2. Les aveugles ne _____ pas. (voir)

3. Mes grands-parents_____ passer huit jours avec nous à Londres. (devoir)

4. _____-vous mieux avec vos nouvelles lunettes ? (voir)

2 **Écris au présent les verbes entre parenthèses.**

1. Nous _____ le français. (apprendre)

2. À quelle heure_____-vous votre petit déjeuner ? (prendre)

3. Alex _____ tous les problèmes de maths. (comprendre)

4. Les chevaux me _____ toujours, ils sont très intelligents. (surprendre)

3 **Transforme à la personne du singulier correspondante.**

1. Nous pouvons garder le bébé. → _____

2. Voulez-vous vous taire un peu ? → _____

3. Nous pouvons vous prêter un vélo. → _____

4 **Récris chaque phrase en remplaçant *tu* par *vous*.**

1. Dis-tu parfois des mensonges ? → _____

2. Tu dis toujours la même chose. → _____

As-tu réussi tes exercices ?

Très bien ☐   Assez bien ☐   Pas assez bien ☐

43 Le futur (1)

Je découvre et je retiens

1 Demain, je **téléphon**erai à ma grand-mère, nous **dîn**erons chez elle.
      Radical   Radical

▶ Pour les verbes terminés en *-er*, le futur est formé du radical du verbe + *-erai, -eras, -era, -erons, -erez, -eront*.

2 Nous **irons** voir mamie sans la prévenir. Elle **aura** la surprise et **sera** très heureuse. Nous **ferons** des photos avec elle.

▶ **Être** : je serai, tu seras, il sera, nous serons, vous serez, ils seront.

▶ **Avoir** : j'aurai, tu auras, il aura, nous aurons, vous aurez, ils auront.

▶ **Aller** : j'irai, tu iras, il ira, nous irons, vous irez, ils iront.

▶ **Faire** : je ferai, tu feras, il fera, nous ferons, vous ferez, ils feront.

Je m'entraîne

1 **Transforme les phrases selon l'exemple.**

Exemple : Je vais recopier ma rédaction. → Je recopierai ma rédaction.

1. Nous allons jouer au foot. → _____

2. Tu vas crier bravo ! → _____

3. Elle va expédier une lettre. → _____

4. Tu vas souhaiter gagner. → _____

5. Je vais manger une pomme. → _____

6. Ils vont remuer les meubles. → _____

2a **Complète les phrases avec *être* ou *avoir* au futur puis récris-les au pluriel.**

1. Dans le désert, tu _____ soif. → _____

2. Sous un palmier, je _____ à l'ombre. → _____

3. Elle _____ des fruits pour se désaltérer. → _____

4. Dans l'oasis, il _____ au frais. → _____

2b **Mets au futur les verbes entre parenthèses puis récris les phrases avec le pronom singulier.**

1. Nous _____ en forêt. (aller) → _____

2. Elles _____ à la danse. (aller) → _____

3. Vous _____ deux tours de piste. (faire) → _____

4. Ils _____ une halte. (faire) → _____

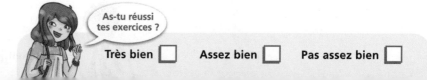

As-tu réussi tes exercices ?

Très bien ☐   Assez bien ☐   Pas assez bien ☐

44 Le futur (2)

Je découvre et je retiens

1 À Londres, nous **prendrons** le bus à étage. Pour dire « merci » en anglais, je **dirai** « *thank you* ».

▶ **Prendre** : je prendrai, tu prendras, il prendra, nous prendrons, vous prendrez, ils prendront.

▶ **Dire** : je dirai, tu diras, il dira, nous dirons, vous direz, ils diront.

2 Nous **devrons** emprunter le tunnel pour aller en Angleterre. Nous **verrons** Big Ben.

▶ **Devoir** : je devrai, tu devras, il devra, nous devrons, vous devrez, ils devront.

▶ **Voir** : je verrai, tu verras, il verra, nous verrons, vous verrez, ils verront.

3 Nous **pourrons** traverser la Tamise. Mes frères **voudront** voir la tour de Londres.

▶ **Pouvoir** : je pourrai, tu pourras, il pourra, nous pourrons, vous pourrez, ils pourront.

▶ **Vouloir** : je voudrai, tu voudras, il voudra, nous voudrons, vous voudrez, ils voudront.

Je m'entraîne

1 **Transforme les phrases en supprimant le verbe** *aller*.

Exemple : Je vais prendre ma voiture pour venir te voir. → Je prendrai ma voiture.

1. Nous allons dire la vérité. → _____

2. Tu vas apprendre le chinois. → _____

3. Nous allons prendre le bus. → _____

4. Je vais dire tout ce que je sais. → _____

5. Vous allez prendre le pain ! → _____

2 **Mets au futur les verbes entre parenthèses.**

1. Nous sommes bien cachés, ils ne nous _____ pas. (voir)

2. J'espère que je _____ bientôt mes amis. (revoir)

3. Vous ne _____ rien d'ici c'est trop loin. (voir)

4. Les soldats _____ obéir aux ordres du capitaine. (devoir)

5. Si l'eau monte encore, nous _____ partir. (devoir)

3 **Écris les verbes au futur puis récris-les avec le pronom pluriel.**

1. S'il ne pleut pas, tu _____ sortir. (pouvoir) → (vous) _____

2. À dix-huit ans, je _____ voter. (pouvoir) → (nous) _____

3. _____ -tu me suivre ? (vouloir) → (vous) _____

4. _____ -elle venir à ma fête ? (vouloir) → (elles) _____

5. Il ne _____ pas résoudre cette énigme ! (pouvoir) → (ils) _____

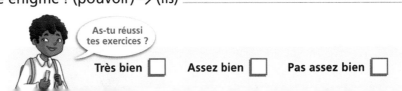

As-tu réussi tes exercices ?

Très bien ☐   Assez bien ☐   Pas assez bien ☐

45 L'imparfait (1)

Je découvre et je retiens

1 Les éléphants se déplaç**aient** en troupeau dans la savane. À leur tête, la chef montr**ait** le chemin.

▶ **À l'imparfait,** les verbes se terminent par : **-ais**, **-ais**, **-ait**, **-ions**, **-iez**, **-aient**.

2 J'**étais** curieux de la vie des pachydermes. J'**avais** envie de les observer. Ils **allaient** librement et **faisaient** parfois un mur de leur corps pour protéger leurs petits.

▶ **Être** : j'étais, tu étais, il était, nous étions, vous étiez, ils étaient.

▶ **Avoir** : j'avais, tu avais, il avait, nous avions, vous aviez, ils avaient.

▶ **Aller** : j'allais, tu allais, il allait, nous allions, vous alliez, ils allaient.

▶ **Faire** : je faisais, tu faisais, il faisait, nous faisions, vous faisiez, ils faisaient.

Je m'entraîne

1 **Écris les terminaisons des verbes à l'imparfait.**

1. Chaque dimanche, j'accompagn_____ ma tante en promenade dans les bois.

2. Quand elle avait aperçu un champignon, elle le ramass_____ avec précaution.

3. Après cette longue promenade, nous nous désaltér_____ goulûment à la source.

4. Après avoir marché longtemps, nous chant_____ sur le chemin du retour.

2a **Écris les verbes à l'imparfait.**

1. Monsieur Ronchon (être) _____ désagréable ; il (avoir) n'_____ pas l'air sympathique.

2. (être)_____-vous souffrante ? (avoir) _____-vous mal aux dents ?

3. Mes voisins (être) _____ de bons cyclistes, ils (avoir) _____ des mollets musclés.

4. Nous (avoir) _____ très soif. Nous (être) _____ sous le soleil depuis deux heures.

2b **Complète chaque phrase avec le verbe** *aller* **à l'imparfait puis récris-la au pluriel.**

1. Où _____-tu ? → _____

2. J'_____ retrouver Léa. → _____

3. Elle _____ à la piscine.→ _____

2c **Complète chaque phrase avec le verbe** *faire* **à l'imparfait puis récris-la au pluriel.**

1. Que _____-tu cet été ? → _____

2. Je _____ souvent de l'escalade. → _____

3. Il _____ du surf. → _____

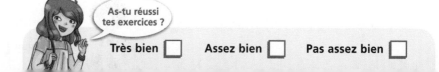

As-tu réussi tes exercices ?

Très bien ☐   Assez bien ☐   Pas assez bien ☐

46 L'imparfait (2)

Je découvre et je retiens

1 Ma mère nous **disait** que, déjà très jeune, elle **prenait** soin des animaux perdus.

▶ **Prendre** : je prenais, tu prenais, il prenait, nous prenions, vous preniez, ils prenaient.

▶ **Dire** : je disais, tu disais, il disait, nous disions, vous disiez, ils disaient.

2 Quand elle **voyait** un oiseau tombé du nid, elle **devait** le soigner.

▶ **Devoir** : je devais, tu devais, il devait, nous devions, vous deviez, ils devaient.

▶ **Voir** : je voyais, tu voyais, il voyait, nous voyions, vous voyiez, ils voyaient.

3 Elle **pouvait** le nourrir, le réchauffer. Elle **voulait** le remettre dans la nature.

▶ **Pouvoir** : je pouvais, tu pouvais, il pouvait, nous pouvions, vous pouviez, ils pouvaient.

▶ **Vouloir** : je voulais, tu voulais, il voulait, nous voulions, vous vouliez, ils voulaient.

Je m'entraîne

1 **Écris ce texte à l'imparfait.**

Mon frère prend des cours de chinois chaque semaine. Son professeur lui dit de bien écouter la prononciation. Après chaque cours, nous lui disons de nous répéter quelques mots. Moi, j'apprends l'anglais. Mes sœurs prennent des cours d'allemand. Nos voisins disent : « Voilà les enfants du monde ! »

_____

_____

_____

_____

2 **Écris les verbes à l'imparfait.**

1. Maman _____ que j'étais triste. (voir)

2. Tous les ans, je _____ mes amis anglais avec plaisir. (revoir)

3. Avec ce ciel chargé de gros nuages noirs, _____-vous venir l'orage ? (voir)

4. Avec les inondations, les pompiers _____ récupérer des habitants sur leur toit. (devoir)

3 **Écris les verbes à l'imparfait puis récris-les avec le pronom pluriel correspondant.**

1. Tu ne _____ plus faire de sport. (pouvoir) → (vous) _____

2. À six ans, je _____ nager. (pouvoir) → (nous) _____

3. Je _____ lui téléphoner. (vouloir) → (nous) _____

4. _____-elle une glace ? (vouloir) → (elles) _____

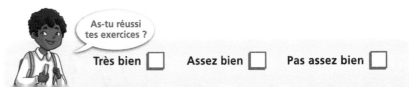

As-tu réussi tes exercices ?

Très bien ☐ Assez bien ☐ Pas assez bien ☐

47 Des terminaisons régulières (1)

Je découvre et je retiens

1 Tu trembles, tu tremblais, tu trembleras. Tu es frileux, tu étais frileux, tu seras frileux. Tu as froid, tu avais froid, tu auras froid. Tu vois, tu voyais, tu verras. Tu dis, tu disais, tu diras. Tu prends, tu prenais, tu prendras. Tu dois, tu devais, tu devras.

▶ Avec le sujet *tu*, la plupart des verbes se terminent par la lettre *-s* au présent, à l'imparfait et au futur. Quelques verbes prennent un *-x* au présent (*tu peux, tu veux*).

2 Vous mimez, vous mimiez, vous mimerez. Vous avez, vous aviez, vous aurez. Vous prenez, vous preniez, vous prendrez. Vous devez, vous deviez, vous devrez. Vous dites, vous disiez, vous direz. Vous faites.

▶ Avec le sujet *vous*, la plupart des verbes se terminent par *-ez* au présent, à l'imparfait et au futur. Attention au présent des verbes *dire* et *faire* : *vous dites, vous faites*.

Je m'entraîne

1a Récris les verbes avec le pronom indiqué.

1. Je danse bien. → Tu _____ souvent. J'ai peur la nuit. → Tu _____ peur du noir.

2. Le hibou voit la nuit. → Tu ne _____ pas la nuit. Alex prend l'avion. → Tu _____ le train.

3. Elle veut skier, mais elle ne peut pas. → Tu _____ skier, mais tu ne _____ pas.

1b Écris les verbes à l'imparfait puis au futur.

1. Tu es sage. → Tu _____ sage. → Tu _____ sage.

2. Tu dis merci pour tes cadeaux. → Tu _____ merci. → Tu _____ merci.

3. Tu gagnes souvent. → Tu ne _____ jamais. → Un jour, tu _____ .

2a Récris chaque phrase avec le sujet *vous*.

1. Dois-tu faire tes maths ? → _____

2. As-tu mal à la tête ? → _____

3. Joues-tu au tennis ? → _____

2b Mets les verbes à l'imparfait puis au futur.

1. Vous _____ la caserne. Vous _____ les moutons. (garder)

2. Vous _____ remporter la coupe. Vous _____ vous entraîner. (devoir)

3. Vous _____ le bus de huit heures. Vous _____ celui de sept heures. (prendre)

As-tu réussi tes exercices ?

Très bien ☐   Assez bien ☐   Pas assez bien ☐

Je découvre et je retiens

1 Nous saut**ons**, nous saut**ions**, nous sauter**ons**. Nous av**ons**, nous av**ions**, nous aur**ons**.
Nous **sommes**, nous ét**ions**, nous ser**ons**. Nous dis**ons**, nous dis**ions**, nous dir**ons**.
Nous dev**ons**, nous dev**ions**, nous devr**ons**. Nous pouv**ons**, nous pouv**ions**, nous pourr**ons**.

▶ Avec le sujet ***nous***, la plupart des verbes se terminent par **-ons** au présent, à l'imparfait et au futur.
Attention au verbe *être* au présent : *nous **sommes**.*

2 Ils dans**ent**, elles dansai**ent**, elles danser**ont**. Ils voi**ent**, elles voyai**ent**, ils verr**ont**.
Elles dis**ent**, elles disai**ent**, ils dir**ont**. Elles prenn**ent**, ils prenai**ent**, elles prendr**ont**.
Ils veul**ent**, elles voulai**ent**, ils voudr**ont**.

▶ Avec les sujets ***ils /elles***, la plupart des verbes se terminent par **-nt** au présent, à l'imparfait et au futur.

Je m'entraîne

1a **Transforme les phrases à la personne correspondante du** pluriel.

1. Je dessine, je découpe et je colle des marionnettes en carton.

→ _____

2. Je prends le train à Paris et je descends à Lyon.

→ _____

3. J'ai l'habitude de voyager, je ne suis jamais en retard.

→ _____

1b **Écris les verbes à l'**imparfait **puis au** futur.

1. Nous fermons les fenêtres. → Nous _____ les portes. → Nous _____ les volets.

2. Nous avons de la chance. → Nous _____ soif. → Nous _____ le temps.

3. Nous pouvons nager. → Nous ne _____ pas voler. → Nous _____ rentrer ?

2 **Récris chaque phrase avec le sujet** *ils* **ou** *elles*.

1. Fait-il du sport ? → _____

2. Va-t-elle au cinéma dimanche ? → _____

3. Aime-t-il la glace à la pistache ? → _____

3 **Écris les verbes à l'**imparfait **puis au** futur.

1. Ils _____ à toute vitesse. Elles _____ nous voir. (passer)

2. Il faisait nuit, ils ne _____ rien. Elles _____ mieux avec des lunettes. (voir)

As-tu réussi tes exercices ?

Très bien ☐   Assez bien ☐   Pas assez bien ☐

49 Le passé simple

Je découvre et je retiens

1 Soudain, le loup sauta la barrière. Les bergers pensèrent qu'il était affamé. Ils allèrent chercher des bâtons.

▶ Au **passé simple**, les 3ᵉ personnes du singulier et du pluriel des verbes terminés par **-er** sont **-a** et **-èrent**.

Le verbe *aller* prend les mêmes terminaisons : *il alla, ils allèrent.*

2 Il surgit devant le troupeau. Les moutons bondirent en tous sens.

▶ Les 3ᵉ personnes du singulier et du pluriel des verbes en **-ir (-issons)**, comme *finir*, sont **-it** et **-irent**.

3 Les bêtes prirent peur et voulurent s'enfuir. Le chien les vit et put en ramener quelques-unes.

▶ D'autres verbes souvent utilisés prennent les terminaisons **-it**, **-ut** et **-irent**, **-urent**.

Être : il fut, ils furent – **Avoir** : il eut, ils eurent – **Faire** : il fit, ils firent – **Dire** : il dit, ils dirent – **Prendre** : il prit, ils prirent – **Pouvoir** : il put, ils purent – **Voir** : il vit, ils virent – **Devoir** : il dut, ils durent – **Vouloir** : il voulut, ils voulurent.

Je m'entraîne

1 **Mets les phrases au pluriel.**

1. Le chasseur se lança à la poursuite des bisons. _____

_____

2. Tout à coup, le cheval se cabra. _____

3. Son cavalier le calma. _____

4. Le bison alla boire à la rivière. _____

2 **Écris chaque verbe entre parenthèses au passé simple.**

1. Soudain, la lionne (rugir) _____ dans la savane.

2. Aussitôt, les lionceaux (obéir) _____ à leur mère.

3. Les antilopes (frémir) _____ de peur.

4. Les explorateurs (établir) _____ leur campement

dans la clairière.

3 **Écris les verbes au passé simple.**

1. Il (être) _____ surpris ! 2. Ils (être) _____ étonnés. 3. Elle (avoir) _____ très peur.

4. Elles (avoir) _____ la frousse. 5. On (faire) _____ du feu. 6. Ils (faire) _____ un barrage.

7. Alors, il (dire) _____ adieu. 8. Ils (dire) _____ un dernier mot. 9. Il (voir) _____ sa dernière heure

arriver. 10. Ils ne (voir) _____ rien. 11. On (vouloir) _____ rester. 12. Elles (vouloir) _____ partir.

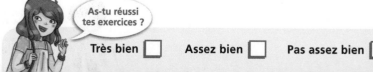

As-tu réussi tes exercices ?

Très bien ☐   Assez bien ☐   Pas assez bien ☐

50 Le passé composé

1 Samuel **est** <u>monté</u> dans le train et **a** <u>essayé</u> de trouver une place assise.

Auxiliaire — Participe passé — Auxiliaire — Participe passé
être — du verbe *monter* — *avoir* — du verbe *essayer*

▶ Le passé composé est construit avec l'**auxiliaire *être* ou *avoir* au présent** et le **participe passé du verbe**.

Pour l'accord des participes passés employés avec l'auxiliaire *avoir* et avec l'auxiliaire *être*, reporte-toi aux leçons 24 et 25.

2 J'**ai** été malade. J'**ai** eu la varicelle.

▶ Les verbes ***être*** et ***avoir*** se conjuguent avec l'auxiliaire ***avoir***.

Être : j'ai été, tu as été, il a été, nous avons été, vous avez été, ils ont été.
Avoir : j'ai eu, tu as eu, il a eu, nous avons eu, vous avez eu, ils ont eu.

Je m'entraîne

1a **Entoure les verbes conjugués au passé composé.**

1. Il a réussi.
2. Je raconterai.
3. Vous avez éternué.
4. Elle pâlit.
5. Je suis descendue.
6. Tu as rêvé.
7. Nous avons rempli.
8. Tu avais fini.
9. Elles sont sorties.

1b **Récris les phrases au passé composé.**

1. Mon frère va au cinéma. _____

2. Le western dure une heure trente. _____

3. Il oppose les cow-boys et les Indiens. _____

1c **Écris les verbes entre parenthèses au passé composé.**

1. Les avions (atterrir) _____ sur la piste du porte-avions.

2. Le bulldozer (agrandir) _____ la piste en la prolongeant d'un kilomètre.

3. Des projecteurs (fournir) _____ les repères utiles à l'atterrissage de nuit.

4. L'hélicoptère (partir) _____ à l'aube pour un secours en haute montagne.

2 **Récris les phrases au passé composé.**

1. Pauline <u>eut</u> très peur des lions. → _____

2. Et toi, en <u>as</u>-tu peur ? → _____

3. Les clowns <u>eurent</u> du succès. → _____

4. Ce clown <u>est</u> très drôle → _____

As-tu réussi tes exercices ?

Très bien ☐   Assez bien ☐   Pas assez bien ☐

51 Les homonymes

Je découvre et je retiens

La pelouse du parc est d'un **vert** magnifique. Le **ver** de terre est très utile pour aérer le sol.
           Couleur   Animal

La serre de son jardin est faite de panneaux de **verre**. Les nuages se dirigent **vers** le Nord.
                    Matière   Direction

▶ Certains mots ont la même prononciation, mais pas le même sens.
Pour trouver leur orthographe exacte, il faut s'aider du **contexte** (les mots qui l'entourent)
et si l'on n'est pas sûr, vérifier dans le **dictionnaire**.

Je m'entraîne

1 Recopie chaque phrase avec le mot qui convient. Vérifie dans un dictionnaire.

1. Ce tableau est vraiment très (laid – lait).

2. Quel (pois – poids) fais-tu ?

3. L'(air – aire) du carré est égale au côté multiplié par le côté.

2 Cherche les mots dans un dictionnaire, puis barre ceux qui ne conviennent pas.

1. Depuis plusieurs jours, il avait mal au (foi – foie – fois). **2.** Monsieur le (compte – conte – comte) est auprès du roi. **3.** Les fauves comme le lion se nourrissent de (chair – chère) fraîche. **4.** Le muguet pousse au joli (moi – mois) de (met – mai – mais). **5.** Le bateau a jeté (l'encre – l'ancre).

3 Lis le texte jusqu'à la fin puis, à l'aide du contexte, écris les mots qui conviennent. N'hésite pas à vérifier leur orthographe dans un dictionnaire. Utilise *mère*, *saut*, *port* et leurs homonymes.

Pendant nos vacances au bord de la (**1.**) _____ , mes frères et moi dressons des châteaux de sable à l'aide d'une pelle et d'un (**2.**) _____ ; pendant ce temps, ma sœur fait des (**3.**) _____ dans les vagues. Souvent la (**4.**) _____ de Pierre nous invite à goûter des crêpes. Par malheur, cette année, du mazout a recouvert les rochers d'une petite crique, le (**5.**) _____ de la ville y a interdit la baignade. Le matin, nous allons voir les bateaux de pêche qui rentrent au (**6.**) _____ . Toute la famille adore le poisson, nous ne mangeons pas de viande de (**7.**) _____ .

As-tu réussi tes exercices ?

Très bien ☐   Assez bien ☐   Pas assez bien ☐

52 Les différents sens d'un mot

Je découvre et je retiens

1 Certaines plantes **poussent** dans l'eau. → *se développer, croître.*
Effrayés par un aigle, les oisillons **poussent** des cris. → *émettre des cris.*
Les rugbymans **poussent** dans la mêlée. → *exercer une pression, un effort.*

▶ Un même mot peut avoir **plusieurs sens**. Son sens est donné par l'ensemble des mots qui l'entourent dans la phrase (le contexte).

2 **glace** n.f. : 1. Eau congelée. 2. Crème sucrée, aromatisée et congelée. 3. Plaque de verre, vitre.

▶ Le **dictionnaire** explique les différents sens d'un mot.

Je m'entraîne

1a **Entoure le sens du mot en couleur.**

1. Dans sa tirelire, il y a une **pièce** et trois billets. → une salle – un morceau de métal servant de monnaie.

2. Le cuisinier **retourne** la viande. → mettre de l'autre côté – renvoyer.

3. La fée brandit sa **baguette** magique. → un pain long – bâton mince plus ou moins long.

4. Le chirurgien pratique une **opération**. → un calcul – une intervention.

1b **Complète les phrases avec le même mot.**

1. Il faut changer la _____ de la télécommande. Jouez-vous à _____ ou face ?

2. Les champignons poussent au _____ de cet arbre. Arthur à mal aux _____ avec ses nouvelles chaussures. 3. Une _____ expose des tableaux. Ma cousine a fixé une _____ sur le toit de sa voiture.

2a **Écris le mot qui convient devant les définitions. Si nécessaire, vérifie dans le dictionnaire.**

1. _____ n.f. : 1. Le visage. 2. Chacun des côtés d'un cube. 3. Côté d'une pièce de monnaie.

2. _____ v. : 1.Quitter le sol pour un avion. 2. Détacher ce qui est collé.

3. _____ n.m. : 1. Ce qui sert à boucher. 2. Embouteillage momentané de la circulation.

4. _____ v. : 1. Se transporter dans un lieu plus élevé. 2. Grimper sur quelque chose.
3. Augmenter le son.

5. _____ n.f. : 1. Un signe musical. 2. Appréciation chiffrée. 3. Détail d'un compte à payer.

2b **Cherche trois sens différents dans ton dictionnaire pour chacun de ces mots.**

1. une carte : _____

2. une place : _____

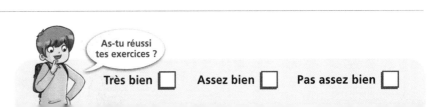

As-tu réussi tes exercices ?

Très bien ☐   Assez bien ☐   Pas assez bien ☐

53 Les mots de la même famille

1 Le jardinier jardine dans son **jardin**. La danseuse et le danseur dansent sur la piste de **danse**.

▶ Une **famille de mots** rassemble tous les mots construits à partir d'un même mot *(jardin, danse)*.

2 mont – montagne – montagnard – monter – montagneux.

▶ Les mots d'une même famille sont formés à partir d'une partie commune appelée le **radical** *(mont)*.

3 Le chemin est long. Les promeneurs longent l'orée du bois. Ce pré a une longueur de cent mètres.
      Adjectif   Verbe *longer*   Nom

▶ Une famille de mots peut comporter des **noms**, des **adjectifs**, des **verbes**.

Je m'entraîne

1a Reconstitue les trois familles de mots : *dentiste – dessiner – douceur – dessinateur – douce – dessinatrice – dentition – adoucir – édenté.*

1. dessin → _____

2. dent → _____

3. doux → _____

1b Dans chaque liste, barre le mot qui n'appartient pas à la même famille.

1. chant – chanter – chanteur – chantier – chanteuse – rechanter.

2. plat – plateau – platement – plantation.

3. porter – portable – déporter – reporter – portuaire – emporter.

2 Entoure le radical dans les mots de chaque famille.

1. tourner – retour – contour – détour – alentour – tournant – entourer.

2. grandeur – grandir – agrandir – agrandissement.

3. sauter – sursaut – sauteur – sauteuse – assaut – ressauter.

3a Pour chaque nom, trouve un verbe de la même famille.

1. le gonflement des pneus → _____   **2.** le transport des marchandises → _____

3. le réchauffement climatique → _____   **4.** la construction du pont → _____

3b Trouve un nom de la même famille que l'adjectif.

1. un enfant gourmand → la _____   **2.** une tortue lente → la _____

3. un haut gratte-ciel → la _____   **4.** un pont solide → la _____

As-tu réussi tes exercices ?

Très bien ☐   Assez bien ☐   Pas assez bien ☐

54 Les synonymes

Je découvre et je retiens

1 Mon père a acheté une **belle** **voiture** bleue. Son ancienne **automobile** n'était plus très **jolie**.
Les noms **voiture** *et* **automobile** *ont le même sens. Les adjectifs* belle *et* jolie *signifient presque la même chose.*

▶ Les **synonymes** sont des mots qui ont un **sens proche**.

2 Je trouve ta voiture superbe ! Elle est vraiment magnifique !
Superbe et magnifique ont un sens plus fort que **belle** *ou* **jolie**.

▶ Certains synonymes ont un sens plus ou moins fort.

3 Nous prenons la voiture pour **aller** en vacances. Je n'ai pas le droit d'**aller** sur les autoroutes.
Nous prenons la voiture pour nous rendre en vacances. Je n'ai pas le droit de conduire
sur les autoroutes.

▶ Les synonymes permettent de **ne pas répéter** les mêmes mots dans un texte et d'être plus **précis**.

Je m'entraîne

1a **Reconstitue les trois groupes de synonymes :** *détritus – friandise – épreuve – ordures – rencontre – immondices – sucrerie – résidus – confiserie – compétition – championnat.*

1. match : _____

2. bonbon : _____

3. déchets : _____

1b **Barre l'intrus dans chaque groupe de synonymes.**

1. soustraire – ôter – enlever – diminuer – retirer – ajouter.

2. paysan – agriculteur – chasseur – fermier – cultivateur.

3. acrobate – équilibriste – magicien – funambule – trapéziste.

2 **Écris les synonymes du moins fort au plus fort.**

1. brûlant – chaud – tiède : _____

2. gigantesque – grand – immense : _____

3. typhon – orage – tempête : _____

3 **Remplace le verbe** *faire* **dans chaque phrase par un synonyme.**

1. Je dois faire _____ une lettre à mes parents. **2.** Ma mère a décidé de faire _____

son entreprise. **3.** Mon grand frère doit faire _____ au moins un mètre quatre-vingts.

4. Tu as de la chance de pouvoir faire _____ ce beau métier.

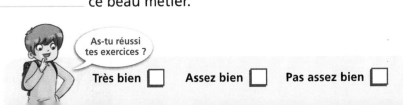

As-tu réussi tes exercices ?

Très bien ☐   Assez bien ☐   Pas assez bien ☐

55 Le champ lexical

Je découvre et je retiens

1 Dans notre jardin, il n'est pas rare de voir des **mésanges**, des **merles**, des **pinsons** et même des **tourterelles**.
Les mots en gras se rapportent au domaine des oiseaux.

▶ Les mots qui évoquent un **même thème** appartiennent au même **champ lexical**.

2 Nos amis **ailés** viennent **nicher** dans nos bouleaux. Leur **nid** est fait d'herbes sèches.

▶ Un champ lexical rassemble des **noms**, des **adjectifs**, des **verbes**.

3 L'aigle **plane** et **tournoie** dans le ciel. Quel **vol** magnifique ! Il prend son **envol** et **survole** les vallées.
Planer et tournoyer sont des synonymes de voler.
Vol, envol et survoler sont des mots de la famille de vol.

▶ Un champ lexical peut être formé de **synonymes** et de mots de la **même famille**.

Je m'entraîne

1a Écris à quel champ lexical appartiennent les différentes listes de mots.

1. boulanger – chanteur – médecin – infirmière – professeur → _____

2. janvier – décembre – avril – mai – septembre – février → _____

3. joie – tristesse – peur – colère – jalousie → _____

1b Écris quatre mots qui correspondent à chaque champ lexical.

1. champ lexical du cinéma → _____

2. champ lexical de la musique → _____

3. champ lexical de l'ordinateur → _____

2 Trouve un nom, un adjectif et un verbe pour compléter chaque champ lexical.

1. champ lexical de la géométrie → carré, compas, _____

2. champ lexical des bateaux → voilier, mât, _____

3. champ lexical du football → joueur, arbitre, _____

4. champ lexical de Noël → sapin, cadeaux, _____

3 Complète chaque champ lexical avec des synonymes et des mots de la même famille.
Utilise : *peigner – médecin – coiffure – auscultation – chevelure – médecine.*

1. docteur – ausculter – ordonnance _____

2. coiffer – coiffeur – cheveux _____

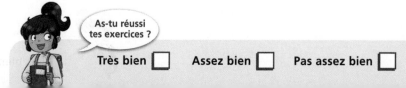

As-tu réussi tes exercices ?

Très bien ☐ Assez bien ☐ Pas assez bien ☐

56 Les contraires

1 Selon les périodes, la Terre a subi des **réchauffements** ou des **refroidissements**.
Nom   Nom

La météo annonce parfois du **beau** temps, parfois du **mauvais** temps.
Adjectif   Adjectif

Les températures risquent de **monter** ou de **descendre** selon le vent.
Verbe   Verbe

▶ Deux noms, deux adjectifs ou deux verbes de sens opposé sont des **contraires**.

2 La couche de neige est **épaisse** en altitude et **mince** dans la station.

▶ Certains contraires sont des **mots différents** qui n'appartiennent pas à la même famille (*épais/mince*).

3 Mon nouvel anorak est très **confortable**, l'ancien était devenu in**confortable**.

▶ D'autres contraires sont construits à partir du **même radical** et d'un **préfixe**.

Je m'entraîne

1a Écris le contraire de chaque adjectif.

1. J'aime les caramels **durs**. Moi, je préfère les guimauves, elles sont _____.

2. Le lièvre est un animal **rapide**. La tortue est un animal _____.

3. Le climat est plutôt **sec** en Afrique, alors qu'il est très _____ en Asie.

1b Complète les phrases avec un verbe de sens contraire.

1. Le film **commence** dans un quart d'heure. Il _____ dans une heure et demie.

2. Avec mon vélo, j'**accélère** en ligne droite et je _____ dans les virages.

3. Mon frère **descend** les toboggans à toute vitesse. Il _____ à la corde à nœuds.

2 Remplace les mots entre parenthèses par un contraire n'appartenant pas à la même famille.

1. Tu vas (aimer) _____ ce jeu vidéo. C'est (une réussite) _____ !

2. L'équipe de France a (perdu) _____ le premier match.

3. Le perchiste (descend) _____ sur le podium pour fêter sa (défaite) _____.

3 Dis le contraire en utilisant un mot construit avec le même radical et un préfixe.

1. Ton cousin Charles est très **agréable**. Au contraire, moi je le trouve _____.

2. Hugo est plutôt **prudent**. Enzo me fait peur, il fait le fou avec son vélo, il est _____.

3. Connais-tu quelqu'un d'**adroit** pour poser mes étagères ? Surtout pas Adrien, il est _____.

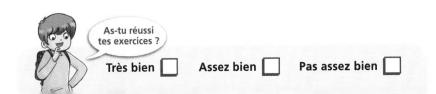

As-tu réussi tes exercices ?

Très bien ☐   Assez bien ☐   Pas assez bien ☐

Je découvre et je retiens

1 Le soir, quand le soleil se cache, il fait de plus en plus **froid**. Gabriel a **froid** aux pieds.
froid n.m : basse température. Sensation que fait éprouver la diminution de chaleur.

▶ Le **sens propre** d'un mot est son sens le plus simple, **habituel** et **concret**. Il est indiqué en premier dans le dictionnaire.

2 Gabriel et Lilou se font la tête, il y a un **froid** entre eux.
froid n.m. : Fig. Absence ou diminution d'affection, de cordialité.

▶ Le sens figuré d'un mot est son sens **imagé**. C'est un sens **abstrait** qui crée une image.
Dans le dictionnaire, il est indiqué par la mention *Fig*.

Je m'entraîne

1 **Invente une phrase avec les mots en gras utilisés au** sens propre.

1. Inès adore les livres, elle les **dévore**.

_____

2. Il me casse les **pieds** ! Je vais finir par avoir une **dent** contre lui.

_____

3. Au lycée, ma cousine **brûle** d'envie d'apprendre le chinois.

2 **Écris chaque nom d'animal devant sa définition au sens figuré :** *singe – pigeon – ours – renard*.

1. _____ Fig. Homme rusé.

2. _____ Fig. Personne qui imite les actions des autres.

3. _____ Fig. Homme bourru, peu communicatif.

4. _____ Fig. Personne naïve qui se laisse tromper, voler facilement.

3 **Indique si chaque mot est au sens propre ou au sens figuré.**

1. Je suis **tombée** dans la neige. → sens _____ 2. À la gare, je suis **tombée** par hasard sur ma maîtresse ! → sens _____ 3. Louis n'arrête pas de bouger, il a des **fourmis** dans les jambes.
→ sens _____ 4. Le professeur nous emmène souvent observer les **fourmis** dans la nature.
→ sens _____ 5. Il gèle ce matin, quel froid de **canard** ! → sens _____

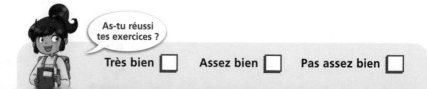

As-tu réussi tes exercices ?

Très bien ☐   Assez bien ☐   Pas assez bien ☐

58 Les préfixes

1 Théo aime **re**lire les récits **in**croyables qui se déroulent au temps de la **pré**histoire.

     re + lire   *in + croyables*   *pré + histoire*

▶ Le **préfixe** est placé **devant le radical** d'un mot pour former de nouveaux mots.
Le préfixe *pré-* signifie *avant* ; le préfixe *-re* signifie *à nouveau*.

2 La **patience** et l'**obéissance** sont des qualités, l'**im**patience et la **dés**obéissance sont des défauts.

▶ Certains préfixes sont utilisés pour dire le **contraire**.

3 Cette hôtesse de l'air est **tri**lingue. Elle parle **trois** **langues**.

▶ D'autres indiquent le **nombre**.

Je m'entraîne

1 **Entoure le préfixe commun aux mots de chaque liste.**

1. un parasol – un parapluie – un paratonnerre – un parachute – un paravent.

2. un mur antibruit – un abri antiatomique – un médicament antidouleur – un casque antichoc.

3. défaire un nœud – démonter un pneu – déjouer une ruse – décacheter une enveloppe.

4. rejouer une pièce – recongeler n'est pas conseillé – retomber malade – reboucher un trou.

2 **Écris le contraire de chaque mot entre parenthèses en utilisant un préfixe.**

1. La voiture de ma cousine a été rayée, elle est _____ . (contente)

2. Avec un bras dans le plâtre, je suis _____ de skier. (capable)

3. Un microbe est _____ à l'œil nu. (visible)

4. À son retour de vacances, ma sœur a _____ sa valise. (fait)

5. Cette année, Inès a gagné toutes ses courses ; elle est _____ .(battable)

3 **Écris le nombre exprimé par chaque préfixe en gras :** *un – deux – trois – quatre – six.*

*Exemple : Ce navigateur fait le tour du monde sur un bateau **mono**coque. → un.*

1. À bord du **quadri**moteur, les passagers ont parcouru 10 000 kilomètres. → _____

2. Sur la piste, le clown fait de l'équilibre sur son **mono**cycle. → _____

3. Un **tri**cycle est très stable pour les jeunes enfants. → _____

4. J'ai nettoyé ma **bi**cyclette au retour de la promenade. → _____

5. L'**Hexa**gone est un terme qui désigne la France, rappelant sa forme géographique. → _____

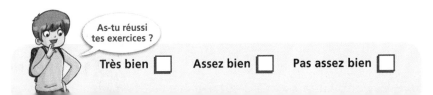

As-tu réussi tes exercices ?

Très bien ☐   Assez bien ☐   Pas assez bien ☐

59 Les suffixes

1 S'**aliment**er avec des aliments peu sucrés ou salés permet d'avoir une **aliment**ation saine.
aliment + er   aliment + ation

▶ Le **suffixe** est placé après le **radical** d'un mot pour former de **nouveaux mots**.

2 Cette **fill**ette est gourmande, elle adore les **gaufr**ettes et les **tartel**ettes.
→ Cette petite **fille** est gourmande, elle adore les petites **gaufres** et les petites **tartes**.

Le suffixe **-ette** signifie *petite*.

▶ Les suffixes apportent une indication sur le **sens** des mots.

Je m'entraîne

1 **Entoure le suffixe commun aux mots de chaque liste.**

1. le renardeau – le lionceau – un éléphanteau – un baleineau.

2. un abricotier – un pommier – un poirier – un olivier – un cerisier.

3. un massage – le tournage d'un film – un passage – un laitage.

2a **Utilise le suffixe *-iste* avec les noms en gras pour former d'autres noms.**

1. Un joueur de **violon** s'appelle un _____ . 2. Mon père vend des **fleurs**, son métier c'est

_____ . 3. La personne qui s'occupe des **pompes** à essence est un _____ .

4. Je me fais régulièrement soigner les **dents** par mon _____ .

2b **Utilise le suffixe *-able* avec les verbes pour former des adjectifs.**

*Exemple : Certains déchets, que l'on peut **recycler**, sont dits **recyclables**.*

1. Après les travaux de rénovation, on pourra **habiter** cette maison. Elle sera _____ .

2. On peut **jeter** certaines nappes et en **laver** d'autres. Certaines nappes sont _____,

d'autres sont _____ .

3. Picasso est un peintre que l'on peut **admirer**. Il est _____ .

2c **Utilise le suffixe *-âtre* avec les adjectifs en gras pour former d'autres adjectifs.**

1. Ce mur tire sur le **blanc**, il est _____ . 2. Ces feuilles ne sont pas vraiment **vertes**,

elles sont _____ . 3. Ton jean n'est plus très **bleu**, il est _____ .

4. Son vélo est vaguement **jaune**, il est _____ .

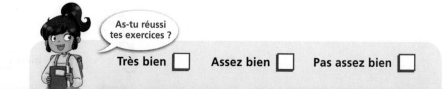

As-tu réussi tes exercices ?

Très bien ☐   Assez bien ☐   Pas assez bien ☐

60 Le dictionnaire

Je découvre et je retiens

1 Ne plongez pas dans l'eau froide sans vous doucher avant ; il existe un risque d'**hydrocution**. *Comment savoir qu'il faut écrire le son « i » **hy** au début de ce mot plutôt que **i** ou **hi** ?*

▶ Pour trouver l'**orthographe** d'un mot dans un dictionnaire, il faut réfléchir aux différentes façons d'écrire la première syllabe. Ensuite on vérifie, grâce à la définition, qu'il s'agit bien du mot cherché.

2 Hydrocution, **n.f.** Perte de connaissance provoquée par un bain dans l'eau froide.

▶ Le dictionnaire donne des indications sur les mots grâce à des **abréviations** :
adj. (adjectif) – **art.** (article) – **n.m.** (nom masculin) – **n.f.** (nom féminin) – **pron.** (pronom) – **v.** (verbe).

Je m'entraîne

1a Utilise un dictionnaire pour compléter les mots.

1. Elle promène son bébé dans un land_____.

2. Ce pann_____ indique une interd_____ de statio_____er.

3. Un bon conseil : ne vous pré _____ pitez pas sur la chauss_____ .

4. Les coups de poin _____ ne sont pas _____ torisés au rugb_____ .

1b Trouve l'orthographe des mots dans un dictionnaire.

Visite chez le médecin

Mon médecin m'a (**1.**) _____ sculté avec son (**2.**) st_____t_____scope puis il m'a pris le (**3.**) pou _____ . Il m'a dit que j'étais en bonne santé mais que j'avais les yeux rouges. Je me suis souvenu que j'avais observé une (**4.**) écli_____ du soleil la semaine dernière. « Pour te (**5.**) tranqui _____ iser, tu devrais consulter un (**6.**) o_____talmologiste », m'a-t-il conseillé.

2 Cherche l'abréviation des mots en gras dans le dictionnaire puis écris leur signification.

Exemple : L'otarie est un mammifère voisin du phoque. → n.f. → nom féminin.

1. **Merlan** et maquereau sont deux poissons de mer. → _____ → _____

2. Il fait tellement sombre que je dois **écarquiller** les yeux. → _____ → _____

3. **Lyre**, violon et violoncelle sont des instruments à cordes. → _____ → _____

4. J'ai trouvé votre gâteau très agréable au goût. Il est **exquis**. → _____ → _____

5. L'**obélisque** est un monument sacré en Égypte. → _____ → _____

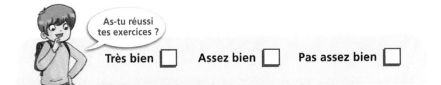

As-tu réussi tes exercices ?

Très bien ☐   Assez bien ☐   Pas assez bien ☐

Illustrations : Cyrielle (couverture et pictos enfants) et Aurélie Abolivier (intérieur)

Conception graphique couverture : Marie-Astrid Bailly-Maître
Mise en pages : Nord Compo

© Éditions Magnard, 2016, Paris.
www.magnard.fr

N° d'ISSN : 2265-1055

Achevé d'imprimer en avril 2016 en Italie
par «La Tipografica Varese Srl» Varese
N° éditeur : 2016-0107 – Dépôt légal : avril 2016